イーロン・マスクを超える男

サム・アルトマン

なぜ、わずか7年で
奇跡の対話型AIを開発できたのか

小林雅一

朝日新聞出版

はじめに

OpenAI、サム・アルトマンCEO解任劇の舞台裏

2023年11月17日の金曜日、OpenAIのサム・アルトマンCEO（最高経営責任者）はフォーミュラ1（F1）のグランプリを観戦するためラスベガスの高級ホテルに滞在していた。

その前日の晩、彼は同社のチーフ・サイエンティストで取締役の一人でもあるイリア・スツケヴァーから「明日の正午に話をしたい」というメールを受け取っていた。

これに応じて正午頃にノート・パソコンからビデオ会議に参加すると、そこには何故かスツケヴァーだけでなく（彼を含む）4人の取締役が既に顔を揃えていた。アルトマンは「何かがおかしい」と感じた。

嫌な予感は的中し、彼はスツケヴァーから「サム、君はアウトだ。クビになるんだ」と告げられた。

一瞬、我が耳を疑ったアルトマンだが、咄嗟に「僕に手伝える事はあるかな？（How can I help?）」と尋ねていた。

これに対しスツケヴァーら4人の取締役は「暫定CEO（に就任する人物）を支援してくれ」と頼んだ。アルトマンは了承したという。

以上はニューヨーク・タイムズやウォール・ストリート・ジャーナル（WSJ）など米国メディアの報道に基づくが、解雇を言い渡された直後の彼の反応には驚かされる（ちょっと可笑しく感じられさえする）。恐らく動揺した気持ちを隠すためであろうが、普通の人物なら中々こんなことは言えないだろう。

後知恵になるが、既にこの時点でアルトマンの方が一枚上手という印象を受ける。「羊の皮を被った狼」さながら、口先では解雇を受け入れて恭順の意を示しつつ、アルトマンは間もなく（水面下で）自らの人脈を生かして猛反撃に出る。

そして僅か4日後には見事OpenAIのCEOに返り咲くと同時に、自分を排除しようとした取締役らを逆に排除してしまうのである。

本書をお読みの方なら、既にこれら解任劇（社内クーデター）の経緯はよくご存じかもしれない。が、そこにはアルトマンの人物像を知る上で興味深いエピソードも幾つか含まれているので、もう少し続きを追いかけてみよう。

彼が解任された直後、OpenAI社長・取締役のグレッグ・ブロックマンもスツケヴァーからビデオ会議に呼び出されて取締役の解任を言い渡され、社長職は継続するよう勧められた。が、この取締役会の動きに抗議してブロックマンは即日OpenAIを辞職した。彼の後を追って数名の研究者も同社を辞めた。

アルトマン解任の理由について4人の取締役会は「我々との意思疎通において彼は常に率直ではなかった」などと曖昧な事を言うばかりで、具体的な理由は明らかにしなかった。

株主の利益よりも「AIの安全性」を優先する特殊な取締役会

この解任劇にはOpenAI独特の奇妙な統治体制も影響している。

元々、2015年に著名起業家のイーロン・マスクやアルトマンらを中心に非営利の研究団体として設立されたOpenAIは、当初「単なる一企業ではなく、人類全体に貢献する安全で高度なAGI（Artificial General Intelligence：汎用人工知能）の実現」を目標に掲げていた（詳細は第1章で）。

しかし、その後、ChatGPT等のベースにある大規模言語モデル（Large Language Model：LLM）の開発に必要とされる数億～数十億ドル（数百億～数千億円）もの資金を調達するため、2019年に事実上の営利企業（OpenAI LP）への転換を余儀なくされた（詳細は第2章で）。

ただ、その際も上部組織として当初の非営利団体（OpenAI Inc.）は維持し、企業経営の根幹に関わる重要な決定は非営利団体の取締役会に委ねられた。

念のため日本語では非営利団体の場合、「取締役会」よりもむしろ「理事会」と呼ぶべきだとの見解もあるが、OpenAIの実体は今や株式会社OpenAI LP（現在の社名はOpenAI Global,LLC）と見られるので、本書ではそれを統治する組織として「取締役会」という呼称を採用する。因みに英語では「理事会」であろうと「取締役会」であろうと「board」という呼称で統一されている。

OpenAI取締役会の構成メンバー（取締役：director）は原則9人と定められており、発足当初も9人だったが、その後何度かの入れ替わりを経て2023年11月の時点（社内クーデターが起きる直前）では6人になっていた。

その内訳は社内取締役が3名、社外取締役が3名である。

前者はサム・アルトマン（共同創業者、CEO）、グレッグ・ブロックマン（共同創業者、社長、取締役会・会長）、イリア・スツケヴァー（共同創業者、チーフ・サイエンティスト）、後者はアダム・ディアンジェロ（米国のQ&Aサイト「Quora」の共同創業者・CEO）、ヘレン・トナー（米ジョージタウン大学・研究者）、ターシャ・マッコーリー（米シンクタンク「ランド研究所」非常勤研究員）である。

取締役会の構成メンバーのうち、OpenAI LPの株式を保有できるのは半数未満のメンバーに限られる。つまり取締役が最大枠9人の場合であれば4人、6人の場合であれば2人だ。因みにアルトマンは「OpenAI LPの株式を所有していない」とする旨を述べている。

この特殊な取締役会は強力な人事権を有する。そこでは会社（OpenAI LP）や株主の利益よりも「AI開発の安全性」が優先され、それに背く経営をしたと判断された場合には、たとえアルトマンのような共同創業者・CEO・取締役でも、多数決で即時解任される決まりになっていた。

対立を煽って人心を操作する

このOpenAI取締役会とアルトマンCEOの間には以前から隙間風が吹いていた。

特にChatGPTのリリースから一周年を間近に控えた2023年10月、社外取締役の一人ヘレン・トナーが大学の同僚らと共にある論文を発表した。

この論文でトナーらはOpenAIの製品開発に対する姿勢を手厳しく批判する一方、そのライバルであるAIスタートアップ企業「アンソロピック」を高く評価していた。

それによれば「OpenAIはChatGPTを大急ぎでリリースするために（その安全検査などで）

手抜きをしたが、アンソロピックは（ChatGPTに対抗する）自社製チャットボット（対話型のＡＩ）の安全性を確保するために、そのリリースを敢えて遅らせた」という。

この論文を読んだアルトマンは当然ながら気分を害した。

彼はトナーに電話をかけて「この論文はいずれ問題を引き起こすことになる」と警告を発した。この頃、米国のＦＴＣ（連邦取引委員会）がOpenAIに対する調査を開始しており、トナーらの論文はそれに恰好の非難材料を与えてしまうと懸念したのだ。

電話でぶつぶつ文句を言うアルトマンに、トナーは「あれは単なる学術論文（だから、そんなに心配する必要はない）」と言い訳をした。

彼はトナーの釈明を一旦受け入れはしたが、直後に他の取締役達にメールを出して、その中で「この論文がもたらすダメージについて私達全員の認識は一致していない」と述べた。

それから間もなくアルトマンは複数の取締役らに電話して、「（もう一人の社外取締役である）ターシャ・マッコーリーがトナーを社外取締役から解任したがっている」と伝えた。

これを知らされた取締役らがマッコーリーに「トナーの解任を望んでいるというのは本当か？」と事実確認したところ、彼女は「真っ赤な嘘よ（absolutely false）」と否定した。

取締役達は「アルトマンが私達を互いに対立させることによって取締役会を操ろうとしている」と感じた。

これと同じことは、スツケヴァーも以前から感じていた。OpenAIに設立当初から加わり、そのチーフ・サイエンティストとして技術開発をリードしてきたスツケヴァーは自他共に認める天才研究者だ（詳細はプロローグと第1章で）。ところが2023年10月の人事異動で、アルトマンは（この時点で）同社最新の大規模言語モデル「GPT－4」の開発に貢献した別の研究者（技術者）をスツケヴァーとほぼ同格の役職に抜擢（ばってき）した（詳細は第3章で）。

これをスツケヴァーは「自分への侮辱」と感じた。と同時に、「アルトマンが社内の研究者達を互いに対立させることによって操作しようとしている」と感じた。

スツケヴァーは他の取締役達に「このままでは自分は（OpenAIを）辞職するかもしれない」と述べた。彼らはこれを「自分を選ぶかアルトマンを選ぶか」の二者択一を迫っている発言と受け止めた（ただしスツケヴァーの弁護士は、これら一連の出来事があったことを否定している）。

不快なペーパーカットの連鎖が呼んだ感情の爆発

アルトマンは周囲の関係者の心理を巧みに操作して自身を利するような活動を得意とする。

彼はそのために人を欺くことすら厭わない――この悪い噂はアルトマンがOpenAIのCEOに就任する遥か以前、彼が最初に立ち上げたスタートアップ企業「ループト」のCEOを務めていた時代からシリコンバレーで囁かれていた。

アルトマンを取り巻く人たちは、こうした彼の悪癖を「ペーパーカット（紙による切り傷）」に喩える。

通常ペラペラと柔らかな紙でも、偶々そのエッジの部分がナイフのように肌を掠めれば切り傷を生じる。それが致命傷化することは有り得ないが、不快な痛みを伴うのは確かだ。そのようなペーパーカットが一度や二度なら我慢できる。しかし何度も続いて繰り返されると、誰でも最後には苦痛に耐えきれなくなって感情が爆発してしまう。

スツケヴァーら４人の取締役会がアルトマンを解任した背景には、まさにそれがあると見られている。

アルトマンはOpenAIに直接被害をもたらすような悪事や違法行為を働いたわけではない。ただ、彼によって繰り返される人心操作や嘘が、取締役会メンバーにペーパーカットのように段々効いてきた。それが溜まり溜まって、あるとき耐えきれなくなり、社内クーデターへと結び付いたようだ。

このため、その理由を周囲から問いただされても、彼らは「（アルトマンは）我々との意思疎通において常に率直ではなかった」という抽象論に終始せざるを得なかったのである。

これらアルトマンに関する悪い噂は、その解任劇の背景ないしは一因として米国メディアによって報じられたが、彼にとってそれは極めて心外だった。アルトマンは自分のことを、むしろ正直で誠実な人間であると考えていたからだ。

まるで小噺のようなOpenAIの事業計画

実際、それを裏付ける過去の報道もある。

ChatGPTが世界的ブームを巻き起こしてOpenAIが有名になる数年前、ＣＥＯのアルトマンはあるテレビ番組（ないしはラジオかポッドキャスト番組）のスタジオ収録に出演した（今でもその記録が残されているが、音声記録のみなので、それらのいずれであるかは判然としない）。

この収録の最中、アルトマンは番組の女性司会者から「OpenAIはどのように収益を稼ぎ出すつもりですか？　貴方たちの事業計画を教えてください」と聞かれ、次のように答えている。

「正直に答えると、我々はそれについて（今のところ）何も考えていません。我々はこれまで一切お金を稼いでいません。いつの日か、お金を稼ぎ出すだろうという予想すら立てることができないのです。

（その代わりに）我々は投資家の皆さんに（次のような）ソフトな約束をしています。我々は今、（人類を遥かに凌ぐ）AGIというスーパーAIを開発中ですが、いつの日かこのAGIが完成した暁には、我々はそれに投資リターンを稼ぎ出す方法を尋ねるのです」

「つまり貴方たちが今後作り出すスーパーAIにお金儲けの方法を教えてもらう。それが貴方たちの事業計画ということですね？」と司会者がアルトマンに確認する。

この瞬間、スタジオに招待されていた一般観客から「クスクス」という笑い声が漏れる。観客は大半が女性らしく、高い声の「クスクス」笑いである。そこに悪意や敵意は感じられないが、ほとんど失笑に近い。

これを聞いたアルトマンは「シリコンバレーの小噺（episode）ですよね」と半ば自嘲気味に語る。

「本当にその通りです」と司会者が相槌を打つ。

観客席から再びクスクス笑いが起きる。

「本当にそうですね」とアルトマンも相槌を打つ。彼は司会者や観客が半ば呆れているのを承知の上で「（馬鹿にされても）仕方がないです。それは理解できます」と続ける。

アルトマンは本来頭の回転が速くて弁が立ち、ベンチャー・キャピタル（VC）のような大口投資家を相手にしても臆することなく、立て板に水のピッチトーク（自分の会社を売り込むスピーチ）を得意とする。

彼ほどの高い言語能力と豊富な経験の持ち主であれば、たとえ番組の司会者から「OpenAIはどのように収益を稼ぎ出すつもりですか？」と聞かれても、もっともらしい事業計画をすらすらと答えて、その場を凌ぐことが出来たはずだ。

ところが実際には「我々はそれについて何も考えていません」と正直に答えてしまう。それればかりか「お金儲けの仕方はＡＩに聞くつもりです」などと現実離れした事業計画を明らかにして観客の失笑を買ってしまう。

このようにアルトマンには「馬鹿正直」とも言えるような一面もあるのだ。彼は矛盾と謎に満ちた複雑な人物である。

また、アルトマンが率いるOpenAIという組織も非営利団体でありながら営利企業という根本的矛盾を抱え、創立当初からしばらくの間は、その存続さえ危ぶまれていた弱小集団だった。

そんな彼らが何故ChatGPTの世界的ヒット、そしていずれは人類を超えるスーパー人工知能ＡＧＩへとつながる大規模言語モデルなどの偉業を成し遂げることができたのか？　以下、本編ではシリコンバレーに伝わる数々のエピソードとその分析・考察を通じて、この謎を解き明かしていく。

本書はこのOpenAIを中心にマイクロソフトやグーグルをはじめキープレイヤーによる生成ＡＩの開発ストーリーである。

これらビッグテックに勢いのあるスタートアップ企業なども交えた企業ドラマであると同時に、OpenAIのアルトマンCEOやそのライバルとなるイーロン・マスク、さらにはビッグテックの経営者など個性豊かな人物達が繰り広げる人間ドラマでもある。

矛盾と謎に満ちたアルトマン、そしてOpenAIを軸に展開される、これらのドラマを通して、新しい時代に求められる新しいリーダー像、企業像を感じ取って頂ければ幸いだ。

なお本編冒頭の「プロローグ」は、OpenAIやChatGPTが登場する以前のＡＩ開発史を簡潔に紹介している。OpenAIや生成ＡＩに特に関心のある方は、ここを飛ばして、いきなり第1章から入っても問題なく読み進められるが、それら組織や技術の背景や起源などを説明しているプロローグから読み始めて頂ければ、本書の内容をより深くご理解頂けるはずだ。

また本書のベースとなっているのは、米国の主要メディア（新聞、雑誌、ウェブ・メディア、ユーチューブ動画など）に掲載されている公開情報である。それらは巻末に「主なメディア」として列挙する。

２０２４年6月23日　著者

イーロン・マスクを超える男　サム・アルトマン――目次

第1章 OpenAIの誕生——無謀な挑戦と迷走　43

第4章

踊り場——生成AIの原罪「著作権問題」とOpenAIの足場固め

第5章

未来――アルトマンの果てしない野望とAGIへの道

プロローグ

OpenAI前史

昨今の「ディープラーニング」や最近の「ChatGPT」など生成AIの一大ブームによって、今や「AI（人工知能）」という用語は専門領域の枠を超えて一般社会にも広く浸透した。

しかし米国の大学を中心に1950年代に始まったAIの研究開発は、少なくとも今世紀の初頭までは大した成果を出すことができず、半ば忘れ去られたような領域だった。

中でも私達人間をはじめ動物の脳を参考にした「ニューラルネット（Neural Network）」と呼ばれるAIの一分野は一際将来が絶望視され、情報科学を専攻する大学院生らが「自分はニューラルネットを研究テーマにしたい」などと言おうものなら、指導教官から「馬鹿な事は止めなさい。一生を棒に振るよ」と諭される程だった。

AIのゴッドファーザー

しかし、それでもニューラルネットの研究開発に取り組む物好きな科学者は（もちろん数は少ないが）いた。その一人が、今では「AI界のゴッドファーザー」と称されるジェフリー・ヒントンだ。

1947年、英国ロンドンに生まれたヒントンは名高い学者の家系である。

彼の母方の高祖父（ひいひいおじいさん）はコンピュータ科学の数学的基礎となる「ブール

代数」を発明した数学者ジョージ・ブールであり、父方の曽祖父チャールズ・ハワード・ヒントンも「四次元超立方体（tesseract）という専門用語を考案した数学者である。

他にも、華々しい業績を残した外科医や冒険心旺盛な昆虫学者（ジェフリーの父）、あるいは植物学者や経済学者、核物理学者などの科学者・研究者がヒントン一族には目白押しだ。

容易に想像がつくが、こうした名門の学者一族に生まれたことは、若き日のヒントンに相当な心理的プレッシャーを与えた。常日頃から「ヒントン家に生まれた以上は科学者として成功して当然」という暗黙の了解が、彼の両肩に重くのしかかっていたのである。

ジェフリー・ヒントン

高校時代から「脳や心の仕組み」に関心があったというヒントンだが、有名な英ケンブリッジ大学に入学すると、何を思ったか一旦学業を中断して実社会で働いてみた。間もなく復学して最初は物理学を学び、そこから化学、生理学、哲学など様々な領域に手を出した後、1970年に実験心理学で最初の学位を取得した。

しかし、それでもまだ軸足が定まらなかったヒントンは、英エジンバラ大学の大学院に進学すると前衛的な哲学者から影響を受けて「コンピュータと心」という風変わりな研究テーマに関心を寄せた。そして最後には当時、未だ海の物とも山の物ともしれない「人工知能」、特に「ニューラルネット」を一生の研究テーマにしようと決心したのである。

第三者から見れば、ヒントンは名高い学者の家系に生まれた圧力に晒(さら)され、あれこれ迷った挙句、よりによって（少なくとも当時は）科学者として成功するには最も避けるべき分野に足を踏み入れてしまった感もある。

1978年、ヒントンはニューラルネット、つまりＡＩの研究で博士号を取得した。ここまで来れば、もう後には引けない。

ＡＩの起源となった学術会議

この「ＡＩ：Artificial Intelligence（人工知能）」という専門用語が生まれたのは、1956年に米ダートマス大学で開催された通称「ダートマス会議」にまで遡る。

この会議には当時、黎明期にあったコンピュータ科学の権威ジョン・マッカーシーや情報理論の創始者クロード・シャノン、あるいは社会学から認知科学、コンピュータ科学まで数々の分野に精通し、ついには経済学でノーベル賞を受賞した万能の天才ハーバート・サイモンなど、錚々たる科学者達が一堂に会した。

彼らは「コンピュータで人間の知能を再現する技術（つまりＡＩ）」の可能性について様々な角度から議論した。この会議が歴史的に「ＡＩ研究の始まり」と考えられている。

当時から、ＡＩには基本的に2種類の方式があった。

一つは「記号処理型のＡＩ（Symbolic AI)」、もう一つは（ヒントンが専門に定めた）「ニューラルネット」だ。ＡＩ黎明期の１９５０年代から、その呼称が完全に定着した１９９０年代頃まで、主流だったのは前者の方式である。

この「記号処理型のＡＩ」とは「現実世界に存在する様々な知識やそれを操作するための一連のルールを（人間が）コンピュータに移植してやれば、あとはコンピュータがそれら知識やルールなど（の記号に）従って自動的に知的な情報処理をしてくれる」という方式の人工知能だ。

たとえばコンピュータに英語と日本語の文法や語彙などを移植してやれば、あとはコンピュータがそれらのルールや知識に従って自動的に英語と日本語の間で翻訳をしてくれる――いわゆる「機械翻訳」と呼ばれる技術などが、当時の「記号処理型のＡＩ」の代表と見られた。

しかし、この方式のＡＩは主に二つの問題に悩まされた。

一つは、それらの知識やルールがあまりにも多彩、かつ膨大な量に及ぶため、それらをコンピュータに移植する作業には大変な労力と長大な時間を要することだ。つまり理論的には可能かもしれないが、現実世界の全体を網羅しようとすれば事実上は不可能に近かったのである。

さらにそれらの知識やルールは時間の経過と共に変化するケースが多く、折角コンピュータに移植したのに、あっという間に時代遅れになってしまうことも珍しくなかった。

もう一つの問題は、その適用範囲が極めて限られていたことだ。たとえば数学やチェスなど本来明確な定義やルールに立脚した学問やゲームなどは、何とか「記号処理型のＡＩ」として実現することができた。

しかし、これらはむしろ例外的なケースに過ぎなかった。私達が生きる現実世界は、理屈では説明できない複雑な事柄や微妙なニュアンスに満ち溢(あふ)れており、とてもではないが杓子定規(しゃくしじょうぎ)のルールと知識だけでは対処しきれない。

これらの理由から、記号処理型のＡＩは成果と言えるような成果を出すことができなかった（前述の機械翻訳にしても、この方式に従って作られたＡＩはほとんど使い物にならなかった）。結果「ＡＩの冬」と呼ばれる低迷期を二度繰り返した挙句、（恐らく１９９０年代を境に）率直に言えば廃れてしまった。今では、この種のＡＩは専門家の間で「ＧＯＦＡＩ（Good Old Fashioned AI：古き良き時代の人工知能）」と呼ばれ懐かしまれる、言わば過去の存在となっている。

ニューラルネットとは何か

以上のように、人間がルールや知識をトップダウンでコンピュータに植え付ける「記号処理型のＡＩ」とは対照的に、もう一つの方式であるニューラルネットはボトムアップ型の人工知能だ。つまりコンピュータ（ＡＩ）自体が、現実世界に存在する生のデータから学んで賢くなっていく方式である。

ニューラルネットの歴史は大変古く、その基本的な仕組みは１９４３年に米国の神経生理学者ウォーレン・マカロックと論理学者のウォルター・ピッツが共同で考案したアイディアにまで遡る。つまり１９５６年のダートマス会議で「ＡＩ」という専門用語が生み出される以前から、実質的にその一種であるニューラルネットの研究は始まっていたことになる。

ニューラルネットは基本的に人間など動物の脳を参考にしたＡＩである。私達人間の脳には（一説によれば）約１０００億個のニューロン（神経細胞）が存在し、これらが相互に接続して複雑な情報ネットワークを構成している（次ページ図1）。

人間が様々な経験を積んだり本を読んだりして学ぶと、それに呼応して脳内で特定のニューロン同士の接続箇所（シナプス）の結合強度が増して、それらの間で電気信号（情報）が流れ

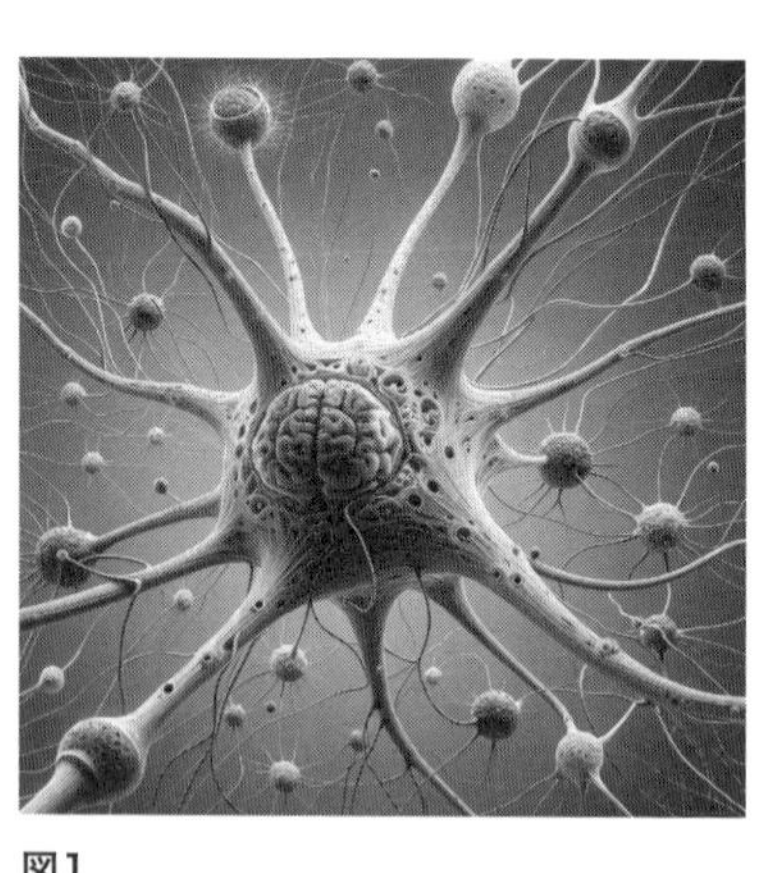

図1
脳内では無数のニューロンが相互接続したネットワークを構成している（ChatGPT-4により著者作成）

やすくなる。これが脳による学習過程だ。

ニューラルネットとは本来、こうした本物の脳（生物学的な脳）における無数のニューロンが相互につながりあったネットワークのことであったが、いつの間にかコンピュータ上でそれを再現したものを指すようになった。これが「ニューラルネット」と呼ばれるＡＩである。

前述のように、ニューラルネットの仕組みは記号処理型のＡＩとは対照的だ。

記号処理型のＡＩでは、科学者や技術者（つまり人間）が予め様々なルールや知識をコンピュータに移植してやる必要がある。

これに対しニューラルネットでは、コンピュータ（つまりＡＩ）が現実世界に存在する大量のデータ、いわゆる「ビッグデータ」を解析して様々なパターンを自動的に学んでいく（ただし、それらの学習用データは人間がコンピュータに入力してやる必要がある）。これにより、知的な情報処理が可能になるのだ。これが「機械学習」と呼ばれるプロセスである。

こうしたニューラルネットは人間の知性の源である「脳」を参考にしているだけに、ＡＩを実現する上で一種の「王道」と考えられた。しかし脳の仕組みは本来、非常に複雑で未だに不明な点も多いため、それを参考にしたニューラルネットという人工知能の研究開発も困難を極めた。

歴史的に見て最初のニューラルネットは、1957年に米国の心理学者・コンピュータ科学者のフランク・ローゼンブラットが発明した「パーセプトロン」と呼ばれる装置である。これは（前述の）マカロックとピッツのアイディアを基に、今から見れば原始的なアナログ部品を多数組み合わせて作られた大型のハードウエアであった。

パーセプトロンはある種の学習プロセスを経た後、これにアルファベット文字や基本的な図形などを入力してやると、「これはA」「これはD」あるいは「これは円形」「これは三角形」などと正しく認識・分類することができた。つまり非常に単純なパターン認識ができるようになったのである。

当時、ローゼンブラットは米コーネル大学にある自分の研究室に米国のニューヨーク・タイムズ記者など報道関係者を招き、そうしたデモをした後で「パーセプトロン（つまりニューラルネット）は人間と同じように学んで賢くなっていくので、いずれは人間のように見たり聞いたり考えたりできるようになる。それればかりか最終的には意識も育むようになるだろう」と誇張も交えて宣伝した。

これが米国のメディアを通じて報道されると、ニューラルネットは一躍脚光を浴びたが、その後ブームは尻すぼみになった。パーセプトロン、つまり初代ニューラルネットは情報の入力層と出力層からなる二層構造をしていたが、こうしたシンプルな構造ではせいぜい「文字の認識」や「基本的な図形の分類」など極めて単純なパターン認識しかできないことが、他の科学者によって数学的に証明されてしまったからだ。

逆に、もっと高度で複雑な情報処理をやらせようとすると、ニューラルネットを構成する層の数を四層、五層、六層……と多層化してやる必要があった。実際、パーセプトロン以降のニューラルネットの研究開発はそのように多層化の歴史を歩んでいった。

また、その過程で「脳科学」や「心理学」など他の自然科学分野における知見や研究成果も取り込んでいった。しかし初期のブームは収束した後だったので、いずれも世間からは大した関心を引くこともない地味な研究プロジェクトだった。

かつてのニューラルネットが実用化できなかった理由とは

この頃のニューラルネットは「パーセプトロン」のような大型装置、つまりハードウエアではなく、汎用デジタル・コンピュータ上で稼働するプログラム、つまりソフトウエアとして実現された（これは現在も同じである）。

それはまた人間の脳を（ある意味で）再現しようとしている点で、単にコンピュータ科学者のみならず、脳科学者や心理学者らの間でも「コネクショニズム」という別名で呼ばれ、強い関心を引いた。

因みに、この専門用語はニューロンとニューロンが「接続（コネクト）」することで情報を処理する脳の仕組みに由来する。（前述のように）ヒントン自身もまた、本来コンピュータというより「脳や心の仕組み」に関心があったから、この分野に足を踏み入れたのである。

ただ、このようにニューラルネットを多層化したり脳科学などの成果を取り入れたりしようとすると、ソフトウエアの構造が複雑化して、それを処理するコンピュータに多大な負荷がかかってしまう。結果、当時のコンピュータに搭載されていた初歩的なプロセッサ（半導体チップ）では遅々として情報処理が捗（はかど）らなかった。要するに、ニューラルネットに何らかの仕事をさせようとしても使い物にならなかったのである。

「研究テーマとしては面白いが役立たず」という烙印（らくいん）を押されたニューラルネットは、元々傍流であった「AI」という分野の中でも一際傍流と化してしまった。このため大学などでニューラルネットを専門にする科学者らは、研究予算を獲得するのが至難であった。

ヒントンが1978年にエジンバラ大学で博士号を取得した当時、彼の母国である英国ではニューラルネット研究のスポンサーになってくれる大学はほぼ見当たらなかった。そこで彼は渡米してカリフォルニア大学サンディエゴ校などに一時的に研究者として在籍した後、最終的にカナダに渡ることにした。不思議なことに、当時のカナダ政府はニューラルネットの研究にある程度の予算を割いてくれたのである。カナダのトロント大学で、ヒントンは教授職に就いて自らの研究室を設けることができた。

1980年代、このヒントンをはじめ、世界的にもかなり数が限られたAI研究者らによって「バックプロパゲーション（誤差の逆伝播（でんぱ））」と呼ばれるアルゴリズムが開発され、これにより多層ニューラルネットの学習技術が体系的に確立された。

また1990年代後半には、当時ヒントン研究室に所属していたフランス人のポスドク研究者（博士号を取得したばかりの研究者）、ヤン・ルカンらによって「畳み込みニューラルネット（Convolutional Neural Network：CNN」と呼ばれる方式が開発され、これにより多層ニューラルネットが各種の文字や数字、あるいは音声や画像などを識別する「パターン認識」の能力が向上した。

ただ、これらの画期的な研究成果は基本的に大学という「アカデミックな世界」における出来事であった。それらの学術的な研究成果を産業界、たとえば電機メーカーの製品開発に応用して実用的なAIアプリケーションを作ろうとしても、なかなか上手く行かなかった。

その主な原因は、当時のコンピュータ・プロセッサの処理能力がそうした高度なニューラルネット技術を実装して製品化するには不十分であったこと。また、それらの機械学習に必要なデータが決定的に不足していたことだ。

当時を振り返ってヒントンは次のように回想している。

「とにかくコンピュータのパワー（＝半導体チップの処理能力）と学習用データが不足していた。私も含め、当時のニューラルネット研究者達はみな（産業界の関係者から『ニューラルネットは使いものにならない』とけなされると）『確かに仰る通りだが、将来コンピュータのパワーとデータが十分に出揃いさえすれば（ニューラルネットは本領を発揮して実用化できる）』と反論したものだ。しかし口ではそんな強がりを言いながらも、内心では『これでは説得力が無いな』と思っていたよ」

エヌヴィディアのGPUに注目した大学院生からAIブームが始まる

こうした風向きが変わり始めたのは、21世紀が明けてから数年が経過した頃のことである。半導体技術の長足の進歩によって、この頃から漸くコンピュータ・プロセッサの処理能力が本格的な多層ニューラルネットを実装出来るレベルに追いついてきたのである。ただし当初、そうしたトレンドは、ごく一部の目敏い専門家がよく注意して観察すれば気付くことができる程度の微(かす)かなものだった。

当時、新興の「Nvidia(エヌヴィディア)」という米国の半導体メーカーが開発・製品化した「GeForce」というグラフィックス・カード(図2)が一部ユーザーの間で熱い注目を浴びていた。

GeForceは別名「GPU(Graphics Processing Unit)」とも呼ばれ、当時はビデオゲームの処理速度を上げるためにハイレベルのゲーマーらによって購入され、主にゲーム用のパソコンに組み込まれて使われていた。

トロント大学ヒントン研究室の大学院生らは2009年頃、このGeForceつまりGPUを(同じくエヌヴィディアが提供する)「CUDA(クーダ)」と呼ばれる並列計算用ソフトと組み合わせて使うと、ニューラルネットの処理能力が飛躍的に高まる事を発見した。

彼らは、この研究成果を学会発表して他の大学のAI研究者達にも教えた。

ただ、当時GeForceは一個数百ドル(数万円)~数千ドル(数十万円)と高額であったため、日頃から資金不足に悩んでいたヒントン研究室では、そう簡単にGPUを買い足して使えるような状況ではなかった。

そこでヒントン教授は自らエヌヴィディアの本社にメールを出して「我々は学会に出席した1000人以上のＡＩ研究者に貴社の製品（ＧＰＵ）を宣伝してあげました。そのお返しに無料で一個、製品を送って貰えませんか」と打診した。が、同社からの返答は無かった。

すげなく無視されても、ヒントンはそれで気を悪くするような小人物ではなかった。相変わらず、自分の研究室に新たに加わってくる大学院生らにエヌヴィディア製のＧＰＵを使うよう推奨した。

図2
GPUのイメージ画像。大きさはタテ25〜30㎝、ヨコ10〜14㎝ほど（ChatGPT-4により著者作成）

その中に、ウクライナ出身のアレックス・クリジエフスキー（Alex Krizhevsky）とロシア出身のイリア・スツケヴァー（Ilya Sutskever）という二人の俊才がいた。

クリジェフスキーはヒントンが「私が生涯に出会った中で、恐らく最高のコンピュータ・プログラマー」と絶賛するほどのプログラミングの達人だ。またスツケヴァーも「C」や「パイソン」など汎用プログラミング言語に飽き足らず、自分専用のソフトウエア開発言語を単独開発してしまう力量を備えた凄腕ハッカーである。

ディープラーニングとは何か

２０１２年、クリジェフスキーとスツケヴァーはたった２個のＧＰＵを使って多層ニューラルネットを開発した。これは開発者の名前（アレックス・クリジェフスキー）にちなんで「アレックス・ネット（AlexNet）」と命名された。

イリア・スツケヴァー

アレックス・ネットはスタンフォード大学の研究者らが主催する世界的な画像認識のコンテスト「ILSVRC（ImageNet Large Scale Visual Recognition Challenge）」で、２位以下を圧倒的大差で引き離す好成績を上げて優勝した。

彼らがこの研究成果についてまとめた論文にはニューラルネットの性能を高めるための様々なテクニックが記されていたが、最大の論点はＡＩ開発におけるＧＰＵの重要性を明確に指摘したことだった。つまりＧＰＵを使うと、ニューラルネットの学習速度が従来の（パソコンなどに搭載されている）ＣＰＵ（中央演算処理装置）を使った場合よりも約１００倍に高まることを発見したのだ。

この論文は他のＡＩ研究者達から優に10万回以上も引用されるなど、コンピュータ科学史上で最も重要な論文の一つに挙げられている。

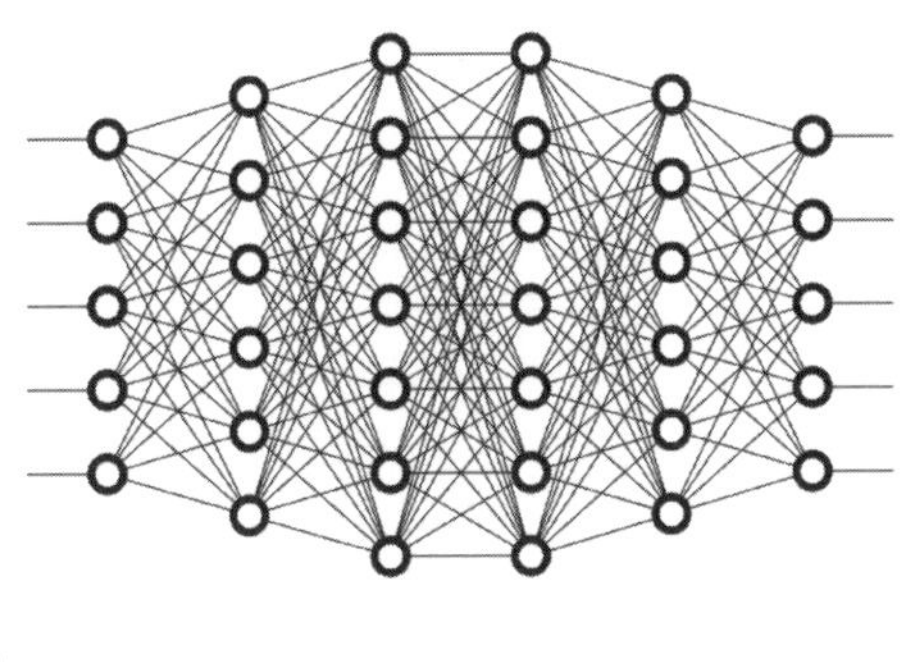

図3
多層ニューラルネットによるディープラーニング(深層学習)の模式図
(出典:https://www.freecodecamp.org/news/want-to-know-how-deep-learning-works-heres-a-quick-guide-for-everyone-1aedeca88076/)

これ以降、音声・画像などパターン認識を行うＡＩの研究開発は、ＧＰＵを採用した多層ニューラルネット一色に塗り潰された。また、それによる機械学習は「ディープラーニング（深層学習）」と呼ばれるようになった（図3）。ここでは「ニューラルネットを多層化して、パターン認識する情報の抽象度を上げる」、つまり「より高度で深遠な情報処理を実現する」ことを「ディープ（深層）」と表現したのである。

因みに、この呼称はマーケティング戦略の一環であったとヒントンは後に述べている。つまり、過去にニューラルネットの評判があまりにも悪かったため、そのイメージを払拭して装いも新たに学会や産業界に売り込むために「ディープラーニング」という呼称を考

図4
左がレパード、右がチーター（ChatGPT-4により著者作成）

案したのだ。一種のブランディング戦略と見ることもできるだろう。従って、実質的にニューラルネットとディープラーニングはほぼ同義と見て構わない。

ディープラーニングによる画像認識システムは、共に黄褐色の毛皮に黒い斑点のあるサバンナの捕食動物「レパード（豹）」と「チーター」のように紛らわしい画像（図４）を見せられても、96パーセント以上の確率で正しく両者を識別できるようになった。これは我々人間を凌ぐほどの画像認識能力である。

この業績は専門家の間で「ＡＩが初めて目を持った」という比喩で高く評価された。あらゆる認知機能の基礎となる「視覚」を実現したことで、それまで大した成果を出すことが出来なかったニューラルネット、つまりＡＩの前途に多大な希望を抱かせる結果となった。

産業界で初期のディープラーニングをけん引した立役者

これとほぼ同時期、米国のシリコンバレー（つまり産業界）でもニューラルネットに対する関心が徐々に高まりつつあった。その旗振り役はグーグルである。

２０１１年の春、グーグルは社内に「グーグル・ブレイン」と呼ばれる小規模な研究部門を立ち上げた。その発起人は当時スタンフォード大学コンピュータ科学部の准教授を務め、同時にグーグルでも客員研究者として働いていたアンドリュー・ング（Andrew Ng）である。ングは英国生まれで現在は米国籍だが、本来は中華系の出自で「吳恩達」という漢字名も持っている。スタンフォード大学の彼の研究室では、ヒントンらに先駆けて２００８年頃にはＧＰＵを使ってニューラルネットの高速化に成功していたと見られる。

このようにＡＩ研究者として先駆的な成果を出しているだけでなく、「コーセラ（Coursera）」というＭＯＯＣＳ（大規模オンライン大学）を立ち上げたり、中国の大手ＩＴ企業「百度（Baidu）」で自動運転車の開発プロジェクトを指揮するなど、ングは起業家・ビジネスマンとしても卓越した業績を残している。

ングはグーグルに加わると、社内の有力エンジニアであるジェフ・ディーンを誘って（前出の）グーグル・ブレインを立ち上げた。彼らは早速ディープラーニングの研究を開始し、間もなく大きな成果を出すようになった。その一つが「ニューラルネットが自動的に猫を認識した」というもので、奇妙な現象であることから当時メディアで盛んに取り上げられた。

グーグル・ブレインの研究者らは、動画投稿サイトの「ユーチューブ」から数百万枚もの静止画像を抽出し、これを自主開発した多層ニューラルネットに入力して機械学習させた。するとニューラルネットが半ば自律的に「猫」の概念を獲得し、その顔を（ぼんやりとした形ではあるが）ディスプレイ上に描き出したのである。

この「猫の顔」が描かれた理由は、恐らくユーチューブから抽出した大量の画像データの中に、猫を撮影したものが比較的多く含まれていたためと見られている（ユーチューブ利用者は猫などペットの動画をアップロードすることが多いことを考えれば当然かもしれない）。

また、この研究プロジェクトでは当初ニューラルネットを構築するのに1０００台のコンピュータ上で稼働する1万6０００個ものCPUを使っていたが、その後は僅か16台のコンピュータ上で稼働する64個のGPUで代替することができた。つまりGPUの威力を改めて証明する結果にもなったのである。

これらの研究成果をまとめた論文が発表されると、ニューラルネットつまりディープラーニングの長足の進化を裏付ける科学的成果として学会の注目を浴びた。これと同時に、ングらの開発したニューラルネット技術はグーグルの屋台骨である検索エンジンやグーグル翻訳などにも導入され、それらの性能を大幅に高めることに貢献した。これによってグーグルの研究者ばかりか、その経営陣もディープラーニングの事業的な価値を認識することになった。

因みに、この頃のグーグル・ブレインにはヒントンも臨時研究員として一時的に加わっている。彼は以前から(前出の)ングと面識があったので、その引きでグーグル・ブレインに誘われたようだ。ただし、ヒントンの要望で3か月間という条件付きの短期雇用だったので、一種のインターンとしてグーグルに加わることになった。

ヒントンは当時、大学のAI研究者らの間ではニューラルネットの権威として知られていたが、グーグルをはじめ産業界では未だ無名の存在であった。恐らく、そのせいでインターンの学生と同列に扱われたのであろう。

グーグルがインターンのために用意したオリエンテーション・プログラムでは、当時既に60歳を過ぎていたヒントン教授が20代の大学生や大学院生らと机を並べて担当社員から説明を受ける羽目になった。当然、彼は周囲の若者達から好奇の目でじろじろ見られたが、あまり気にしなかった。しかし昼食時にグーグルのカフェテリアで他のインターン学生たちと共にトレイを持って列に並んでいたとき、そのうちの一人から突然大声で話しかけられた。

「ヒントン教授じゃないですか! 僕は貴方の講義を受けたことがあるんですよ。こんなところで何やってるんですか?」

さすがのヒントンもこの時は決まりの悪い思いをしたようだ。

高名なAI研究者やスタートアップ企業を次々と獲得

このエピソードから間もなく、ヒントンはトロント大学に戻ってクリジェフスキーやスツケヴァーらと共に（前述の）画像認識用のニューラルネットを開発した。これが世界的な画像認識コンテスト「ILSVRC」で2位以下をぶっちぎる驚異的成績をおさめて優勝した。

この成功によって、漸く（ようや）ヒントンは学界のみならず産業界からも注目を浴びることになった。米国のグーグルやフェイスブック（現在のメタ）、マイクロソフトなど著名なビッグテックに加えて、中国の巨大IT企業である百度なども、ヒントンと彼の研究室にいる大学院生らに巨額の報酬を提示して引き抜きにかかった。

これに対しヒントンらは2013年、一種の競売方式で自分たちを出来る限り高く売りに出した。ある国際AI会議の会場となったホテルの一室に、これら巨大IT企業の代表者達を集めて、入札で最も高額の報酬を提示した企業に入社することにしたのである。

実際に競売が始まると2000万ドル、2200万ドルとみるみる値段は吊（つ）り上がって行き、競りから脱落する企業が出てきた。やがて4000万ドルを超える頃には、ヒントンらAI人材の競売に残ったのはグーグルと百度だけになった。最終的に4400万ドル（当時の為替レートで44億円前後）でグーグルが落札した。

こうしてヒントンやスツケヴァーらトロント大学研究室のメンバーは丸ごとグーグルに引き抜かれ、そのＡＩ開発部門である（前出の）グーグル・ブレインに配属された。そこでディープラーニングやそれを応用したスマホの音声認識システムなどの研究開発に従事することになった。

ヒントンらトロント大学の研究チームに支払われた総額４４００万ドルの報酬を彼らがどう分配したかは不明だが、ヒントン自身は自分が手に入れたお金の一部を使って北アメリカの五大湖の一つ「ヒューロン湖」に浮かぶ島を購入した。その島に以前から建てられていた古い家屋を業者に改修させて、そこで家族と共に暮らし始めたのである（グーグル・ブレインを抱えるシリコンバレーのグーグル本社からは大分距離があるが、ヒントンは一種の特別研究員という肩書だったので、恐らく常勤する必要はなかったのであろう）。

一方グーグルにヒントンの研究チームを持っていかれたフェイスブックも翌２０１４年、それに勝るとも劣らない高額の報酬で、ヒントンに匹敵する高名なＡＩ研究者ヤン・ルカン（かつてトロント大学のヒントン研究室に在籍したことのあるフランス人研究者）を自社に新設したＡＩ研究所「Facebook AI research（ＦＡＩＲ）」の所長として招聘（しょうへい）した。

間もなくアンドリーセン・ホロウィッツなど目敏いシリコンバレーのＶＣ（ベンチャー・キ

ャピタル）が、次々と起業したてのＡＩスタートアップ企業に投資を始めた。

　こうして、それまで大学などアカデミアに留まっていたＡＩに産業界が注目し、その研究開発に巨額の資金が流れ込むようになった。このようなＡＩブームを産業界で主導したのは明らかにグーグルであった。

　グーグルはヒントンらトロント大学の研究チームを引き抜いた翌年となる２０１４年、英国ロンドンに本拠を置く気鋭のＡＩスタートアップ「ディープマインド」を推定４億ポンド（当時の為替レートで約７００億円）で買収した。ディープマインドは２０１６年に「アルファ碁（AlphaGo）」と呼ばれる囲碁ＡＩソフトを開発し、これによって当時の囲碁世界チャンピオンを破るなど世界的な脚光を浴びることになる。

　主力事業である検索エンジンの収入から得られる巨額の研究開発資金に加え、トロント大学やディープマインドから獲得した高度なＡＩ人材、さらに自らのビジネスで蓄えたビッグデータやクラウド・コンピューティングなどの豊かな計算機資源も考え合わせると、ディープラーニングなど先端ＡＩの研究開発でグーグルに太刀打ちできる新興企業が後に現われるとは当時誰も予想していなかった。

第1章

OpenAIの誕生
——無謀な挑戦と迷走

米カリフォルニア州メンロパークのサンドヒルロード沿いにあるローズウッド・ホテル。シリコンバレーの中心に位置し、日頃ベンチャー・キャピタリストやテック企業の幹部達がネットワーキングの場として活用しているこの高級ホテルに、2015年夏のある晩、後にOpenAIの中核メンバーとなる起業家や技術者達が集まって夕食を共にした。

この夕食会を呼びかけたのは、有名なスタートアップ・インキュベーター「Y(ワイ)コンビネータ」の社長（当時）、サム・アルトマンだ。彼は2023年にChatGPTが世界的な大ヒットを記録すると一躍「時の人」となるが、その人となりについては未だそれほど詳(つまび)らかにされてはいない。

アルトマンは1985年4月、米国中西部に位置するイリノイ州シカゴのユダヤ系家庭に4人兄妹（3人の兄弟と末子の妹）の長男として生まれ、その後は（同じく中西部の）ミズーリ州セントルイスに移り住んだ。彼の父親は弁護士資格も持つ不動産ブローカー、母親は皮膚科医と報じられているから、経済的には比較的恵まれた家庭に育ったと見ていいだろう。

一般にユダヤ系の家庭は子育てや教育に熱心というイメージがあるが、その内情に詳しい人たちによれば、特に米国中西部のユダヤ系家庭は別格という。そこでは親が自分の子供（特に男の子）たちに向かって一日に何度も愛情の気持ちを表現すると同時に、我が子が将来成功するために必要な強い自信を植え付けるという。

もちろん（サム・）アルトマンとその弟妹達も、幼少の頃から両親に豊かな愛情を注がれると同時に、「お前にできないことはない」と頭に叩き込まれて成長した。

アルトマン家では子供たちの知力や競争心を養うため、毎晩夕食の後に様々なクイズが20問出題された。たとえば非常に大きな数を示して「この平方根を求めて」といった問題に対し、子供たちが競って回答したという。

こうして小さい頃から彼らの内側に培われた桁外れの自信や競争心を、サムの弟、ジャックは「現実離れして、兵器級（の破壊力）」と皮肉交じりに評する。

高校時代に全校生徒の前でカミングアウト

アルトマンの場合、そうやって育まれた強固な自信と微妙に絡み合う別の要素がある。彼はゲイである。アルトマンが17歳のとき、彼が通っていた郊外の私立高校では「全米カミングアウト・デイ」に合わせて、全校生徒を前にスピーチを行う生徒を募集した。

アルトマンによれば、当時彼の周囲にいた生徒たちの中には「大体は宗教的な理由で、また一部は『ゲイは悪い人たちだ』という偏見からスピーチに反対した人もいた」という。それでも彼は学校側の呼びかけに応じて、自身がカミングアウトのスピーチを行う決心をした。その前日の晩は、ほとんど眠れなかったという。

成長期のアルトマンを語る上でもう一つ忘れてならないのは、やはりコンピュータとの出会いであろう。彼は8歳の誕生日に、母親からアップルの「マッキントッシュ（Ｍａｃ ＬＣ II）」をプレゼントされた。

これについてアルトマンは「自分の人生はコンピュータを持つ前と後では一線を画した（ように違うものになった）」と語っている。プログラミングの達人とまではいかないが、幼少時からパソコンに向き合い、それを分解することによって、その操作方法や内部機構を熟知したようだ。

彼は当時の自分を「スターウォーズのようなＳＦに夢中になっていたナーディ（オタク気質）な少年」と表現する。これらのＳＦには、未来社会を舞台に人間と共存するヒューマノイド（人型ロボット）や人間の知能を遥かに凌ぐＡＩなどが登場する。

それらの影響を受けたアルトマン少年は、ある晩マックを操作しながら、「コンピュータはいつの日か自分で考えるようになるだろう」と直感した。当時は未だ漠然とした夢ではあったが、そうした考えるコンピュータつまりＡＩをいつか自分の手で実現できればいいなと思った。

アルトマンは２００３年に米国西海岸の最高学府スタンフォード大学に入学する。

この大学は33平方キロメートルと小都市ほどの敷地面積に市街地のような舗装道路が整備さ

れ、椰子の木のような熱帯樹木と様々な教育・研究施設、学生寮、スポーツ施設、歴史的建造物などが並び立つ独特のキャンパス・ライフを提供している。単なる教育機関というより、一種のコミュニティを形成しているのだ。

世界的にも有名な、このスタンフォード大学でコンピュータ科学を専攻したアルトマンは、少年時代の夢を追うべく主にAI関連の講義を幾つも受講したが、いずれも幻滅を誘う内容だったという。当時のAIは、いわゆる「AIの冬」と呼ばれる低迷期を未だ脱していなかった。

「(AIは)全然使い物にならないと思った」とアルトマンは述べている。

この頃のアルトマンはAI実現の夢を追うよりも、むしろ当時のインターネット・ブームに乗って一旗揚げたい、という思いの方が強かったようだ。2005年には早々と2年生(19歳)で恵まれた環境のスタンフォード大学を中退し、当時付き合っていた男性や友人らと共に「ループト(Loopt)」というスタートアップ企業を立ち上げ、そのCEO(最高経営責任者)に就任した。

この会社は(スマホが普及する前の)携帯電話のGPS機能を利用して、友人同士が今どこで何をしているかを互いにシェアするアプリを開発・提供する事を目指していた。

Yコンビネータとは何か

その起業に際してアルトマンは、当時シリコンバレーで立ち上がったばかりの「Yコンビネータ」の面接を受け合格した。Yコンビネータは、英国出身のコンピュータ科学者・投資家として知られるポール・グレアムとその妻のジェシカ・リビングストンらが2005年に共同創立したスタートアップ育成団体である。

Yコンビネータは一般に「シード・アクセラレータ（seed accelerator）」と呼ばれる団体の一つで、起業家や創業直後のスタートアップ企業に対して広範囲の支援を行う。それら支援の中には、事業資金やオフィス・スペースの提供、助言、人脈紹介などが含まれる。

ある年、Yコンビネータには約1万9000社ものスタートアップ企業（の創業者）が応募し、そのうち合格したのはたった240社（人）だった。名門スタンフォード大学に入学するより難しいと言われている。

その面接を受けて合格した起業家達は、その後3か月間にわたってYコンビネータのパートナー（共同経営者）らから助言を受けながら、自らのアイディアを製品化する作業に取り組む。そしてその最終日に、投資家たちの前で自らの製品をデモンストレーションして資金を募るのである。このスタートアップ・ブートキャンプ（育成プログラム）は年に2回実施される。

Yコンビネータはこれら起業家やスタートアップ企業を支援する見返りとして、それら企業の発行株式の7パーセントを受け取る規約になっている。後にそれらのスタートアップがIPO（株式公開）を果たして大手企業に成長すれば、Yコンビネータも巨額の利益を得ることになる。

Yコンビネータの面接に合格して、そこから6000ドル（当時の為替レートで約66万円）のスタートアップ資金を得たアルトマンは、その後3か月間にわたるブートキャンプ最終日のデモ・デイで、首尾よく自らの製品（前述の携帯GPSアプリ）を投資家らに売り込み、3000万ドル（30億円以上）の資金をベンチャー・キャピタルから引き出した。

ただし、その後ループトのビジネスは伸び悩んだ。同社が事業を開始すると間もなく、アップルが2007年6月「アイフォーン」を発売してスマホ・ブームが巻き起こった。スマホと相性の良い「フェイスブック」のようなソーシャル・メディアの隆盛もあって、それ以前の携帯電話（いわゆるガラケー）を前提とするループトのGPSアプリなどは、あっという間に時代遅れになってしまったのだ。

結局アルトマンは2012年に、この会社を約4300万ドル（約34億円）で某フィンテック企業に売却。これを通じて個人的に500万ドル（約4億円）のお金を手に入れた。アルトマンはこのお金で長期旅行を楽しんだが、残りの資金を投じて自身のベンチャー・キャピタル（VC）「Hydrazine Capital」も立ち上げた。

スタートアップの育成を通じて巨万の富を蓄える

これと前後する形で2011年、アルトマンはYコンビネータにパートタイムのパートナーとして加わった。やがて2014年2月には弱冠28歳でポール・グレアムの後を継ぎ、Yコンビネータの社長に就任した。

この人選の理由について、グレアムは「サムは私自身も含め誰よりもスタートアップを理解している」と述べた。また、アルトマンは周囲の関係者から「（衣類をしっかり固定する）洗濯挟みのように動じず、（捕食活動中の）ミミズクのように獰猛だ」と評された。

当時のアルトマンは自分自身について「僕は技術それ自体への関心は薄い。またパーティや大抵の人間など、僕が興味の無いものへの忍耐力も持ち合わせていない」と述べている。

この頃、数日間にわたって彼に同行したジャーナリストから「貴方が男性用トイレに行くのを見たことがありません」と妙な指摘を受けたアルトマンは、「あんたら人間に僕が（実は）AIであることがバレないように、これからはもっと頻繁にトイレに行く練習をするよ」と切り返した。

アルトマンが気を悪くしたのは明らかだが、その感情をすぐに表に出すなど、当時は気の短いところもあったようだ。

2014年、Yコンビネータの業績を報告するブログの中で、アルトマンは「エアビーアンドビー（Airbnb）」や「ドロップボックス（Dropbox）」、「ストライプ（Stripe）」をはじめ同団体が育成したスタートアップ企業の時価総額が650億ドル（約7兆円）を超えたと述べた。

これらスタートアップの事業支援に関わる仕事を通じて、アルトマンはリード・ホフマンやピーター・ティールをはじめ数々の著名起業家・投資家らと緊密なコネクションを築き上げた。

また、自分のVCや自分自身によるスタートアップ投資などから、個人的にも巨万の富を蓄えた。アルトマンの個人資産額は公式には明らかにされていないが、ブルームバーグ・ビリオネア指数によれば（2024年時点で）少なくとも20億ドル（3000億円）は下らないと見られている。ウォールストリートジャーナルの報道では、それよりもずっと多く、実に28億ドル（4200億円）以上と見ている。

アルトマンが投資で大成功した主な理由は、その投資先の多くがYコンビネータによって育成されたスタートアップ企業であり、その内情を彼が熟知していたことにあると見られている。

いわゆる利益相反に当たる恐れもあることから、アルトマンはYコンビネータの同僚らには、自分と同様の行為を禁止したと言われている。

巨万の富を蓄えたアルトマンは、その一部をかなりの道楽に費やした。中でも彼のクルマ好きは関係者の間でよく知られている。約2000万ドルのマクラーレンF1をはじめ多数のスポーツカーや電気自動車などを所有し、自身も自動車レースに参加したことがあるようだ。

アルトマンはいわゆる「プレッパー（prepper）」の一人でもある。

プレッパーとは地震や洪水などの自然災害、パンデミック（感染爆発）、核戦争、経済・社会的混乱など予期せぬ事態に備えて予め入念に準備しておく人達のことだ。

アルトマンはカリフォルニア州・中央海岸沿いの風光明媚な保養・観光地「ビッグサー（Big Sur）」に広大な私有地と「プレッパー・ハウス（核・化学・生物兵器などへの防御機能や風力・太陽光発電、農園など自給自足機能を備えた特別設計の居住施設）」を所有している。

この特別施設に「銃、金（ゴールド）、ヨウ化カリウム、抗生物質、水、そしてイスラエル国防軍から入手したガスマスクを備蓄している」とアルトマンは公言している。いざというときには、自宅（大邸宅）のあるサンフランシスコからそこに（プライベートジェット機などで）飛んでいけるのだという。

またアルトマンはかなりの早寝早起きで、いつも午後9時前には就寝してしまうとの説もある。

30歳を目前にAGIの実現に乗り出す

2015年、アルトマンは30歳を目前にして何か新しいことに挑戦したくなった。カリフォルニア州の知事選に立候補することも頭をよぎったが、自身のキャリアを振り返ると、むしろ子供の頃からの夢である「人間のように考えるマシン」、この分野の専門用語で「AGI（Artificial General Intelligence：汎用人工知能）」を今こそ自分の手で実現すべきだ、という結論に至った。

AGIについてはもう少し後の方で詳しく解説するが、要するに人類と同等か、あるいはそれを凌ぐほどの汎用的な知能を備えたスーパーAIだ。

本書のプロローグでも紹介したように、この2015年頃はジェフリー・ヒントンやヤン・ルカンら大学の研究者による長年の努力が漸く実を結び、ニューラルネットを中心にAIが長い冬を脱して春を迎えようとしている時期だった。グーグルをはじめ産業界もディープラーニングに注目し、この分野の研究開発に巨額の資金が流れ込むなど、AIの将来性は疑う余地がなかった。

もっとも、この頃はまだ「AGIを実現できる」と本気で信じる専門家は皆無に近かったが、

「だからこそ自分の手でそれを成し遂げる意味があるのではないか」とアルトマンは思った。

そのための新たなプロジェクトを立ち上げるに際し、アルトマンはまず最初にイーロン・マスクを誘うことにした。

アルトマンがマスクと最初に会ったのは、その数年前のことだ。そのとき彼はマスクの案内で宇宙開発企業スペースXの工場を見学しながら3時間ほど話し込んだ。

当時のアルトマンは人生で初めて起業したループトを売却して間もない駆け出しの起業家だったが、彼より一回り以上年上のマスクは既にテスラとスペースXのビジネスを軌道に乗せた規格外の経営者だった。人類を火星に移住させる夢を滔々と語るマスクはアルトマンにとって憧れの的だった。

このマスクにアルトマンはメールを出し、その中で「AGIを実現するためのマンハッタン計画を始めようとしているけど興味ある?」と尋ねた。マスクは「イエス」と答えた。

グーグルの共同創業者ラリー・ペイジや後に「アルファ碁」の開発で有名になるAI研究者デミス・ハサビスらに触発され、マスクは以前からAIの可能性と危険性の両方に関心を寄せていた。

マスクとアルトマンは「人類に貢献する安全なAGI」を実現するため、何らかのプロジェクトを立ち上げることで合意に達した。

次に二人は、一緒にプロジェクトを立ち上げる技術者や研究者を探し始めた。当時、ＡＧＩが実現できると本気で信じているＡＩ研究者は少数であっただけに、逆に「誰にしようか」と迷う必要もあまりなかった。

まずアルトマンがＹコンビネータを通じて自ら育て上げた米ストライプ社のＣＴＯ（最高技術責任者）グレッグ・ブロックマン、次に当時グーグルに所属していたＡＩ研究者のアンドレ・カーパシーらが彼らの誘いに応じて、そのプロジェクトに加わることを約束した。

しかしマスクとアルトマンが最も狙いを定めていたのは、イリア・スツケヴァーという気鋭のＡＩ研究者だった。

イーロン・マスク

１９８６年、当時はまだソビエト連邦時代のロシアに生まれたスツケヴァーは、5歳のときに家族と共にイスラエルに移住した。２０００年～２００２年にかけて通信制のイスラエル・オープン大学で学んだ後、再び家族と共にカナダに移住した。

（本書のプロローグでも紹介したように）スツケヴァーはカナダのトロント大学で「ＡＩ界のゴッドファーザー」と称されるジェフリー・ヒントンの研究室に所

属し、そこで「アレックス・ネット」と呼ばれるシステムの開発に加わると共にコンピュータ科学の博士号を取得した。

アレックス・ネットはいわゆる「ニューラルネット（脳を参考にした人工知能）」の一種だ。このＡＩシステムは２０１２年に画像認識の世界的なコンテスト「ILSVRC」で過去の記録を遥かに上回る成績で優勝し、その後の世界的なディープラーニングつまりＡＩブームの引き金となった事で知られる。

このヒントン研究室において、特にスツケヴァーは類まれなプログラミングの才能を発揮した。当時、彼はヒントン教授から出された複雑な課題に素早く対処するため、「C」や「パイソン」など一般のソフト開発言語の代わりに、自分の仕事に特化した専用言語を自分で作り出してしまった。

これらの記念碑的な業績や卓越した才能が評価され、２０１３年にヒントンと彼の研究室に所属していたスツケヴァーら大学院生は全員グーグルに引き抜かれ、そのＡＩ研究部門の一つ「グーグル・ブレイン」で働き始めた。

当時のスツケヴァーはディープラーニング、つまり多層ニューラルネットとそれによる機械学習の分野では若きスターとして注目されていた。アルトマンはある時グーグル社屋近くのハンバーガーなど軽食を出すレストラン・バーでスツケヴァーと会食した際、この若者の並外れた技術力とそれに裏打ちされた強固な自信を感じ取っていた。

このスツケヴァーを、アルトマンとマスクは是が非でも自分達のプロジェクトに引き入れたかった。そこでブロックマンをはじめ既にプロジェクトへの参加を表明していた数名の中核メンバーに声をかけ、(本章冒頭で紹介した)ローズウッド・ホテルでの夕食会を催した。そこにゲストとしてスツケヴァーを招待したのだ。

ただし、いきなり彼をプロジェクトに引き込もうと誘ったわけではない。この夕食会で参加者らが主に話し合ったのは、むしろAI全般に関する事柄だった。

たとえばAIの実力に関する現状認識、その進化のペース、さらに将来的な可能性や危険性について彼らは率直に議論した。そして、人間と同等かそれ以上の知能を持つAGIがそう遠くない将来に実現すること、それは人類に途方もない富や便益をもたらす一方で、誤った方向に進化すれば人類に深刻な災禍をもたらし、悪くすれば人類存亡の危機を引き起こす恐れもあること、これらの点で彼らの見解はほぼ一致した。

今から始めてグーグルに追いつけるのか?

その後、もっと生々しい方向に議論は進んでいった。それは2014年時点で英国の気鋭スタートアップ「ディープマインド」を買収するなどAI開発で先頭を走っていたグーグルについてだった。当時彼らが懸念していたのは、米国のビッグテックなかんずくグーグルがディープラーニングなど先端AIの開発で半ば独走状態にあったことだ。

グーグルのような営利企業が人類の将来を左右するかもしれない重大なAI技術を、所詮は自らの利益のために開発・利用するのは危険ではないか。むしろ非営利の研究団体を立ち上げて、そこで単なる一企業ではなく人類全体に奉仕するAI、ひいてはAGIを開発していくべきではないか、と彼らは考えた。

中でもマスクは当時、グーグル共同創業者ラリー・ペイジの発言に神経を尖らせていた。2015年7月、米国のワイン葡萄の産地カリフォルニア州ナパ峡谷で開かれたマスクの誕生パーティで、彼とペイジは屋外の焚火台を挟んで様々な事柄を話し合った。

その場でペイジは「AIを搭載したマシンはいずれ人類と合体して、様々な種類の知的存在が誕生する。その中で最適種が勝ち残ることになるだろう」と（する旨を）述べたとされる。

「それはつまり、人類が開発するAIによって今の人類が絶滅するかもしれない、ということだね。人類はこの宇宙でかけがえの無い存在であり、それが失われることがあってはならない」と反論するマスクに、ペイジはフラストレーションを募らせ「君は種差別主義者(speciest)だね」と述べたという。

当時ペイジは、グーグルの共同創業者であると同時に同社のCEOも務めていた。AIに関して、こうした過激な見解を持つペイジの経営するグーグルが世界のAI開発をリードするのは危険だとマスクは考えた。

グーグルへの対抗勢力として、（マシンよりも人類を優先する）新たなAI研究機関がどうしても必要だとマスクは力説したが、夕食会の参加者からは「今から始めても果たしてグーグルに追いつくことができるだろうか」という疑問の声も上がった。

しかし最終的には「やってやれないことはないだろう」という結論に皆は至った。

こうしてグーグルに対抗するという含みを持たせつつ「人類全体に寄与する安全なAGIを実現する」という基本構想で彼らは合意に達した。

マスクとアルトマンのプロジェクトは「非営利の研究団体」となる事が決まり、マスクがこれを「OpenAI」と命名した。この研究所で開発したAI技術やソースコード（コンピュータ・プログラム）を特許で囲い込むことをせず、むしろ論文発表などを通じて技術をオープン化して人類全体に貢献するという趣旨だった。

世界有数の大富豪マスクは、OpenAIプロジェクトに気前よく1億ドル（当時の為替レートで120億円）を出すと約束した。

迷ったスツケヴァーもグーグルからOpenAIに移籍

この夕食会を後にしたスツケヴァーはOpenAIの企てに強く心惹かれたが、すぐにグーグルを退社する決心がつかなかった。迷う彼に対しマスクは高額の契約金と190万ドル（2億円以上）の年俸という破格の条件を提示した。スツケヴァーは数か月思案した末に、OpenAIに加わる事を了承した。

スツケヴァーという超エース級の人材をOpenAIに引き抜かれたペイジは激怒した。それまで彼とマスクは親友関係にあったが、これを契機に二人の仲は壊れたとされる。

ローズウッド・ホテルでの夕食会を終えた中核メンバー達は、間もなく彼ら以外にOpenAIに加わる人材（優秀であると共にAGIの実現可能性を本気で信じる研究者、技術者ら）を探し始めた。当時、AGIは一種の「キャリア・キラー」と目され、本気でそんなものを開発したい等と公言すれば、大学の研究ポストなどまともな就職口は閉ざされると言われた。

また、マスクの豊かな財力を背景にOpenAIがかなり高額の給与を候補者となるAI人材に提示しても、それはグーグルやマイクロソフトなどビッグテックが提示する、さらに高額の給与には及ばなかった。

それでも学生時代にグーグルやフェイスブックでインターン経験を積んだ後、敢えてOpenAIの設立理念に賛同して、そこに加わろうとする若手研究者らも数は少ないがいた。こうして発足当初のメンバーは25名程になった。

２０１５年12月、マスク、アルトマン、ブロックマン、スツケヴァーをはじめ6名の起業家・技術者らを共同創業者としてOpenAIは正式に発足した。これに対し最初に1億ドルの出資を確約したマスクに加えて、リード・ホフマンやピーター・ティール、ジェシカ・リビングストンら著名投資家が次々と資金の拠出に応じた。

マスクらは当時のプレスリリースで「OpenAI立ち上げ時の調達資金は総額で10億ドル（当時の為替レートで１２００億円以上）」とぶち上げたが、OpenAIの公式ブログによれば実際にマスクが出資したのは４５００万ドル以下、他の投資家達が９０００万ドル以上を出資したという。つまり初期の出資総額は約1億３５００万ドル（同１６４億円）程度ということになる。

最初は途方に暮れた

スツケヴァーらOpenAI創業時の研究者・技術者らは当初、ブロックマンのアパートを仕事場として働き始めた。

当時、まだ独身だったブロックマンはサンフランシスコ市内の小高い丘に位置するアパートに住んでいた。そこは玄関を入ると比較的広いダイニング・キッチンがあって、大きなテーブルとカウチが置いてあった。キッチンの隣にはベッドルームが一つ。要するに何の変哲もない個人用アパートである。

そこに10人程度の研究者・技術者らが常時出入りして働くことになった。たまにイーロン・マスクがブロックマンのアパートを訪ねては、キッチンのカウチに腰掛けて「調子はどうだい？　今週、（OpenAIの仕事で）何が起きた？」とブロックマンに問いかけた。

アルトマンは他のOpenAIメンバー達と共に、このアパートに初めて足を踏み入れたとき、「我々はここで一体何をすればいいんだろう？」と途方に暮れたという。

実際、資金と人材を集めて研究所を設立し、マスクのような著名人を広告塔にして派手に宣伝するまでは良かったが、当初OpenAIのメンバーらは具体的に何をすればいいか分からなかった。それもそのはずで、そもそもの目標である「ＡＧＩ（汎用人工知能）」とは一体何であるかが当人達にもよく分からなかったからだ。

いや、OpenAIのメンバーだけではない。「ＡＧＩとは何か」という厳密な定義は、当時から現在に至るまで存在しない。

それに類する概念を最初に提唱したのは英国の哲学者・数学者のI.J.Goodと見られている。彼は1965年に出版した自著の中で、（コンピュータのような）機械が人間のあらゆる知的能力を超えるとき、それを「超人間知能（Superhuman Intelligence）」と定義した。

また比較的新しいところでは、2014年に同じく英国のオックスフォード大学「人類の未来」研究所の創設者ニック・ボストロムが「スーパー・インテリジェンス（Superintelligence: Paths, Dangers, Strategies）」というタイトルの本を出し、この中でＡＩが人間の知能を超える可能性を論じると共に、それがもたらす深刻なリスクに警鐘を鳴らした。

恐らく、これらの先駆的な思想がＡＧＩの源流と考えられるが、いずれにせよ未だ実在しない一種「想像の産物」であるだけに、誰でも勝手に定義できるような側面もある。

たとえば「人間と同レベルかそれ以上の汎用的知能を備えたマシン」と言う人もいれば、「人類全体の知能を凌ぐほどの高度な人工知能」あるいは（ボストロムの著書名に影響されて）「スーパー・インテリジェンス」などと表現する人もいた。中には「意識すら備えている超越的ＡＩ」などと考えている人もいた。つまり百人のＡＩ専門家に聞けば、百通りの答えが返ってくるような状態である。

サム・アルトマン自身はＡＧＩを「中央値の人間（median human）、あるいは一般的な労働者として働くことのできる知能を持ったＡＩ」と定義している。ただ、この「中央値の人間」という表現は人間を一種統計的な存在として捉えている感があり、そのせいで物議を醸したこともある。

一方、イーロン・マスクはＡＧＩを「人類にとって信頼できる有益で安全な技術」と位置付け、それが「宇宙の真の性質を理解するという究極の目標に貢献できる」と述べている。

マスクは（ＡＧＩのように）高度な発達を遂げたＡＩの危険性に警鐘を鳴らしているだけに、彼がＡＧＩを「人類にとって信頼できる有益で安全な技術」と呼ぶとき、それは「為すがままにしておけばそうなる」ということではなく、「（我々人間が）努めてそうしなければならない」という意味が込められているだろう。

またグレッグ・ブロックマンはＡＧＩを「経済的な価値のあるほとんどの作業で人間を上回ることができる自動システム」と定義している（この定義はOpenAIの公式ブログにも掲載されている）。

このようにOpenAI創業時の中核メンバーですら、「その最終目標とするＡＧＩが何であるか」については、てんでんばらばらの考え方をしていた。それは各人が承知していたはずだが、それでも構わないと考えていたのだろう。

もっと重要な事は他にあった。それをOpenAIのチーフ・サイエンティスト、イリア・スツケヴァーは次のように述べている。

「Don't bet against Deep Learning.」

この英文を直訳すれば「ディープラーニング（深層学習）に反する賭けはするな」だが、その含意を噛(か)み砕いて言えば「ディープラーニングにできないことはない。その無限の能力を信じろ」ということだ。

本書のプロローグでも紹介したように、2012年頃からスツケヴァーが所属するトロント大学ヒントン研究室を中心に「多層ニューラルネットによる機械学習」、つまりディープラーニングのブームが巻き起こった。

ディープラーニングは当初、画像・音声などパターン認識の分野でブレークスルーを巻き起こしたが、それ以外の多くの分野でも画期的な技術革新をもたらすことが確実視されていた。

つまりスツケヴァーの言いたいことは「今後OpenAIが技術的な難問や破綻に直面しても、ディープラーニングの能力を信じて取り組めば、それらの限界を突破して前進することができる」ということだ。

この点さえ皆で合意しておけば、たとえ最終目標のＡＧＩに関して各人がてんでんばらばらの考え方をしていても当面問題はない、と彼らは考えたのであろう。

最初に開発チームを指揮したグレッグ・ブロックマン

この当時、つまり２０１５年12月に発足した当初のOpenAIは、一般企業の「ＣＥＯ（最高経営責任者）」を筆頭とする正式な指揮命令系統を備えた組織というより、むしろ凄いＡＩを作ろうとする有志による共同プロジェクトのような存在だった。

このOpenAIを実質的に指揮していたのは、非形式的な集団とは言え一応「ＣＴＯ（最高技術責任者）」の肩書を貰ったグレッグ・ブロックマンである。その主な理由は、彼がOpenAIに加わる直前まで失業中だったからだ。ブロックマンは（アルトマンが社長を務めるＹコンビネータによって育成された）スタートアップ企業ストライプのＣＴＯを務めていたが、２０１５年５月に何らかの理由で同社を去っていた。

「イーロン（・マスク）は（テスラやスペースＸなど）他の仕事で忙しかったし、サム（・アルトマン）も（Ｙコンビネータの社長という）仕事を持っていた。でも、僕は当時他の仕事がなかったので、OpenAIの仕事に全力を傾けることができた。初期の研究チームを編成して指揮したのは僕だよ」とブロックマンは後に述べている。

１９８７年、米ノースダコタ州の人口僅か１０００人程度という田舎町トンプソンに生まれたブロックマンは身長180センチ、体重86キロと比較的大柄だ。因みにアルトマンの身長は公式に明らかにされていないが恐らく170センチ程度と見られ、しかも体重は60キログラム弱とかなりの痩せ型だ。このアルトマンに比べればブロックマンは外見的に威圧感がある。

ブロックマンは2010年にMIT（マサチューセッツ工科大学）を中退して仲間たちと共同でオンライン決済事業を手がけるスタートアップ「ストライプ」の創業に加わり、そのCTOに就任して2015年5月まで在籍した。有能なソフトウエア開発者であると同時に、非常な集中力をもって精力的に働く人物としても知られている。そんな彼は、確かに創業当初のOpenAIで技術開発チームを率いるには恰好の人材であったはずだ。

ただし、そのブロックマンでさえ「(OpenAIが目指す) AGIが何であるか」について漠然とした考えしか抱いていなかったのだから、部下の研究者らに具体的な指示を出せるはずがない。結果、彼らはオフィスで朝から晩まで各々好き勝手な研究に取り組むことになった。

(前述の通り) 発足当初のOpenAIはブロックマンの住むアパートを仕事場にしていたが、2016年9月にはサンフランシスコのミッション地区にある古ぼけた3階建ての建物に正式なオフィスを構えた（その後、同じくミッション地区にある近代的なビルに引っ越すことになる)。

その頃のOpenAIには「ビデオ・ゲームで遊ぶAI」を開発する者もいれば、一方では「ルービック・キューブを操作するロボット・ハンド」を組み立てている者もいた（OpenAI発足当初のメンバーにはロボット工学を専門にする研究者も数名含まれていた）。

これらの技術開発はいずれも「ディープラーニング」をベースとしている点では共通していた。また、それらに関する論文はちゃんと書いて学会発表はしていたものの、そうした一種の自由研究が最終的に一体何に結実するのかは誰にも分からなかった。

当時を振り返って、ブロックマンは「（OpenAIの研究開発は）何一つ機能していなかった」と率直に認めている。つまり事実上、成果は出ていなかったことになる。

創業の翌年には言語モデルの開発を始める

しかし彼らはいつまでも時間を無駄にしていたわけではない。

OpenAIの創立2年目となる２０１６年、アレック・ラドフォードという若手研究者が入所した。彼は学生時代に友人らとスタートアップ企業を共同創業したが大学院には進学しなかった。

そのスタートアップの職を辞してOpenAIに加わる際、「一種の大学院にでも進学するような気持ちで加わった」と述べている。つまり、ここなら比較的自由に好きな研究をやれると思ったのだろう。

ラドフォードは学生時代とスタートアップ時代を通じて、「人間の言葉を理解したり、お喋（しゃべ）りしたり文章を書いたりできるニューラルネット」、いわゆる「言語モデル」の研究開発をしていたが、OpenAIに入ってからもそれを続けることにした。

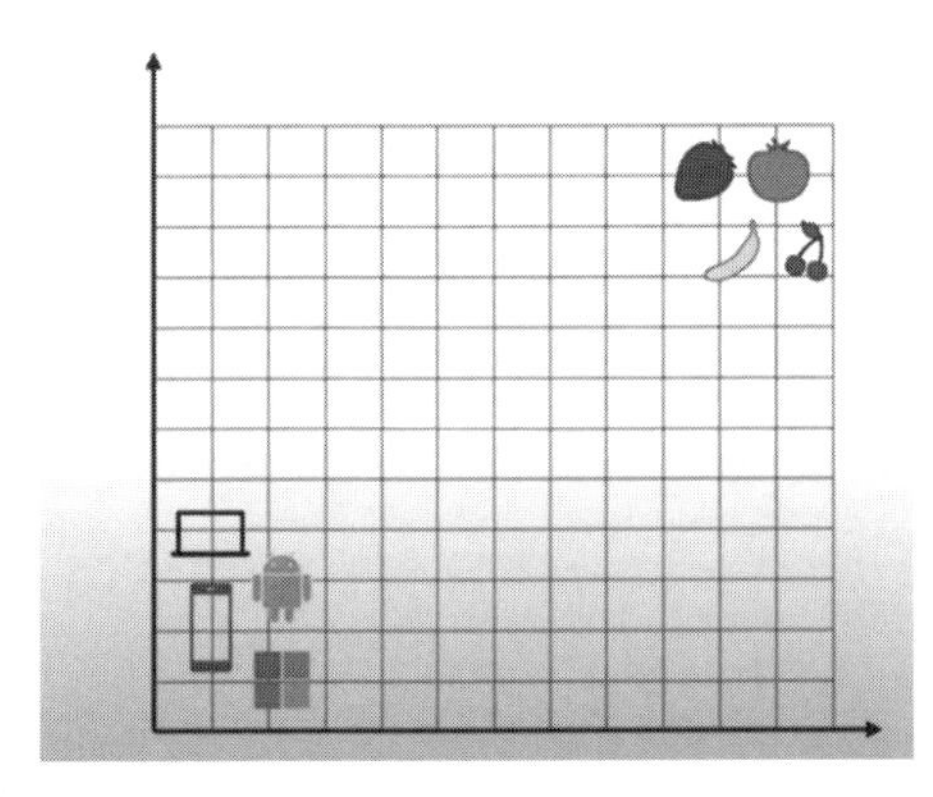

図5
言語モデルの中核を成す「ベクトル化」技術：言葉の意味を座標空間上のベクトル（X、Y座標などの数値の組み合わせ）で表現する。本来なら多次元の空間だが、ここでは見易くするために2次元に簡略化している
(出典："The math behind Attention: Keys, Queries, and Values matrices", Serrano.Academy, YouTube)

言語モデルとは具体的に言うと、多層ニューラルネットに各種SNSやウィキペディア、あるいは電子書籍など大量のテキスト・データを読み込ませ、それらテキストの統計的パターンを学習させることで、ある単語の後に続く単語を確率的に予測させる技術だ。

こうした言語モデルの最大のポイントは「言語のベクトル化（Embedding）」と呼ばれる工夫だ。

これは言語の意味を座標空間上の数

値の組み合わせ、つまり「ベクトル」として表現する技術だ。

たとえばイチゴやオレンジ、バナナ、サクランボなどは「果物」、これに対しパソコンやスマホ、アンドロイドやウィンドウズなどのロゴは「ＩＴ（情報技術）」という共通概念でくくれるので、それぞれ座標空間上で互いに近い場所に配置される（前ページ図５）。

これが「言語のベクトル化」である。こうすることにより、本来なら我々人間が扱う言葉の意味をコンピュータが処理できる数値へと変換することができる。

学生時代のスツケヴァーらが開発した初期の言語モデル

因みにディープラーニングの大御所、ジェフリー・ヒントンの研究室では早くも２０１２年頃にはスツケヴァーを中心に初期の言語モデルが開発された。（プロローグでも紹介した）画像認識用のニューラルネットで世界の研究者を驚かせたヒントン・チームだが、それと同時並行的にこうした自然言語処理の技術も研究していたことになる。

スツケヴァーらが開発した言語モデルはウィキペディアから収集した大量の記事（分量にして約5億文字）を多層ニューラルネットに入力し、これを学習用データとして用いて数か月間にわたってトレーニング（機械学習）させたシステムだ。

図6

ヒントンが2013年5月にブリティッシュ・コロンビア大学での講演でデモした初期の言語モデルの様子(出典:"Geoff Hinton - Recent Developments in Deep Learning", YouTube)

ヒントンはこれをカナダのブリティッシュ・コロンビア大学（UBC）で講演した際にデモしているが、そこでは「人生の意味とは（The meaning of life is)」という冒頭の部分を入力してやると、ニューラルネット（言語モデル）がその後に続く単語を確率的に予測して順々に出力していく（前ページ図6）。最終的に完成された文章は所々意味が通っていて文法的にも正しい語句が散見されるが、全体を眺めると全くナンセンスで奇怪な文章となっている。

この講演で観客席にいた学生らは最初のうちは興味津々でデモに見入っていたが、スクリーンに徐々に出力されていく文章が頓珍漢で意味を為さないことが分かってくると、途中から失笑を漏らすようになった。それでも例によってヒントンは気を悪くした様子も見せずにデモを続け、最後まで文章が出力されたところで「もうちょっとなんだけどね（almost there)」と半ば皮肉交じり、半ば自嘲的に評している。

実際のところは「もうちょっと」どころか、使い物になるようなシステムからは程遠い状況にあったことは明白だ。しかし、こうした言語モデルの可能性を当時から見抜き、その開発に着手していたことは、その僅か10年後に登場したChatGPTの驚くべき性能を見れば先見の明があったと言わざるを得ない。

最初は使い物にならなかった

2016年にOpenAIに入所したラドフォードが言語モデルの研究開発を始めた時も、その状況は2012年頃にヒントン・チームがそれをやっていた頃と大差無かった。大量の文書を機械学習して、そこから導き出される統計的なパターンに従って、ある単語の後に続く単語を確率的に予測・出力する——そうした言語モデルの理屈は分からなくもないが、一体そんなやり方で意味のある文章を本当に作り出せるのかについては当時、誰もが眉唾で見ていた。

実際、この種の言語モデルはナンセンスな文章を出力することが大半で、まれに多少の意味をなす文が含まれていたとしても、それは拙く短い文章であると同時に奇妙な癖があった。たとえば同じ語句を何度も繰り返したり、毎回同じ結論になってしまったりする。

具体例を挙げれば次のような出力テキストだ。

「大学を卒業したジョンは就職した会社で仕事に悩んでいた。ジョンは仕事に悩んでいた。彼は仕事に悩んでいた。そこで彼は自動車を買った」

「フランクと結婚したアリスはとても驚いた。彼女はとても驚いた。彼女はとても驚いた。そこで彼女は自動車を買った」

つまり最後は何故か必ず「自動車を買った」で終わってしまうのである。

しかし、これらはまだマシな方で、当初ラドフォードらの作ったシステムは支離滅裂で意味不明の文章しか出力することができなかった。

それでもCTOのブロックマンやチーフ・サイエンティストのスツケヴァーらOpenAIの首脳陣は、ラドフォードが好きなように言語モデルを開発するのを容認した。

特にスツケヴァーは自身がかつてヒントン研究室で言語モデルの先駆的な開発に取り組んだ経験があるだけに、たとえ周囲から「あれでは、とても使い物にならないだろう」と貶(けな)されても、その潜在的な可能性を信じていたのだ。

ラドフォードらが粘り強く研究を続けるうちに、彼らの言語モデルはアマゾンの商品レビューを読み込んで、それが好意的なレビューか、それとも否定的なレビューであるかの判定くらいは出来るようになった。ＡＩ研究者の間で「センチメント・アナリシス（感情分析）」と呼ばれる領域の仕事である。

トランスフォーマーとは何か

本当のブレークスルーはそれから間もなく訪れた。

2017年、グーグルの研究チームが「Attention Is All You Need（注意こそが必要とされる全てだ）」という名の画期的な論文を発表した。この論文が正式に発表されたのは2017年末に米カリフォルニア州で開催された「NeurIPS（ニューリプス）」と呼ばれるAI関連のトップ学会だったが、実際には査読前の粗削りの論文が2017年6月に学術系ウェブ・サイト（arXiv）に公開されていたので、その年の半ば以降にはOpenAIも含め多くの研究者の目に留まることになった。

この論文の中で提唱された「トランスフォーマー」と呼ばれる新しい方式のニューラルネットが、それまで停滞していた言語モデルの研究に突破口をもたらしたのである。

因みに、このトランスフォーマーという呼称の由来は二つある。

一つは言語を適切な形態に「変換（transform）」して、そこからニューラルネットのようなシステムが人間と同程度まで情報を抽出できるようにする技術であるということ。

もう一つは元々、日本のタカラトミーと米ハズブロの玩具シリーズから始まり、後にハリウッドのSF映画にもなった（自動車に変形するロボット）「トランスフォーマー」である。（前述の）「Attention is All You Need」論文の共著者の一人で、そのアイディアを最初に発案したグーグルのAI研究者ヤコブ・ウスコライト（Jakob Uszkoreit）が幼少時にトランスフォーマーの玩具でよく遊んでいた。その思い出を技術名に込めたのだという。

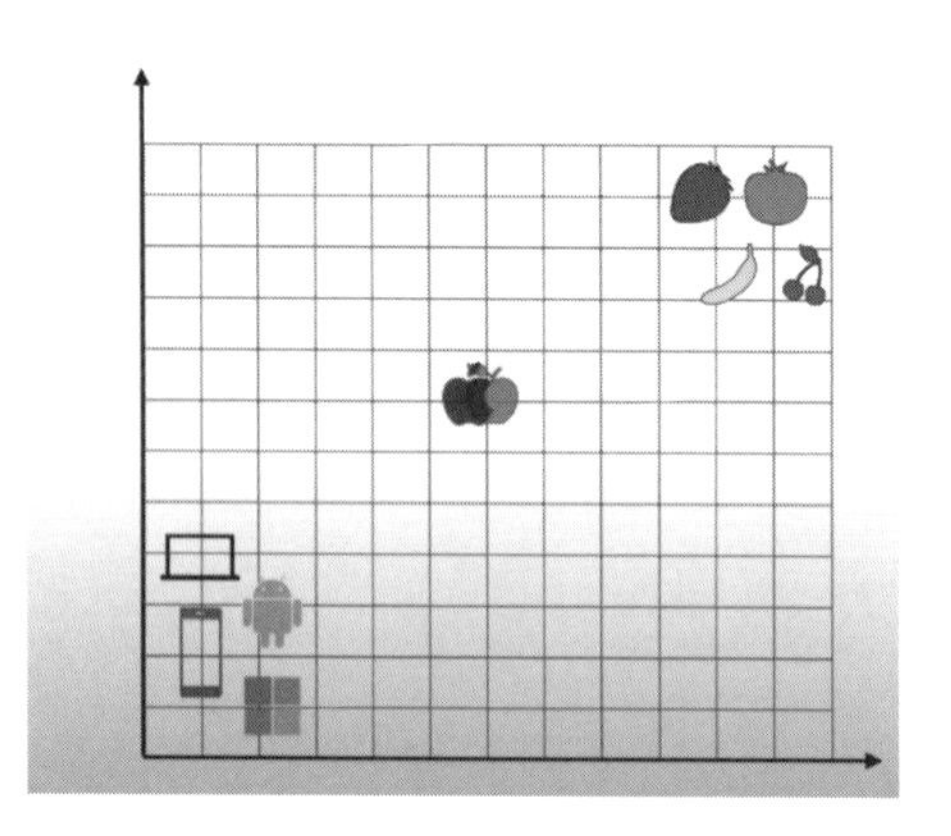

図7

従来の言語モデルの問題：文脈を理解できないので、「アップル」のように意味が紛らわしい単語をどこに配置していいか分からない。ここでは暫定的に「果物」と「IT」の中間に配置しているが、それでは本来の意味が分からない(出典："The math behind Attention: Keys, Queries, and Values matrices", Serrano.Academy, YouTube)

このトランスフォーマーはそれまでの技術とどこがどう違うのだろうか？

それまでの言語モデルには様々な限界や課題が指摘されていたが、中でも最大の問題は「文脈の違いを踏まえて正しく言葉の意味を捉えることができない」ということだった。

たとえば同じ「アップル」という単語でも、「オレンジとアップルを買ってください」という文脈と、「アップルは新しいアイフォーンを発表した」という文脈では、「アップル」の意味することが全く異なる。

改めて言うまでもないが前者のアップルは果物の一種であり、後者のアップルは米国の巨大ＩＴ企業のことだ。

私達人間であれば、これら文脈の違いを難なく乗り越えて、各々の文章のアップルが実際に何を意味しているかを察知できる。ところが文脈を理解できない従来の言語モデルでは、ある種の確率的な揺らぎに応じて「アップル」のような紛らわしい言葉の意味を正しく理解できる場合もあれば間違えてしまう場合もあった。

前掲の座標空間を使って説明すれば、従来の言語モデルでは「アップル」という単語を「果物」のグループに入れるべきか、それとも「IT」のグループに入れるべきかを正しく判定できない(図7)。これが言語理解の壁となって立ちふさがっていたのだ。

言語理解の鍵を握る「自己注意」とは?

この壁を突破したのが、トランスフォーマーの「Self-Attention Mechanism (自己注意機構)」と呼ばれる仕組みである。これは文字通り、言語モデルが文脈を理解するための鍵となる単語に対して自動的に「注意 (attention)」を向けることを可能にする技術だ。

たとえば前述の「オレンジとアップルを買ってください」という文章では、「オレンジ」という単語に注目することによって「アップル」が果物の林檎(りんご)を意味していることが分かる。

一方、「アップルは新しいアイフォーンを発表した」という文章では「アイフォーン」とい

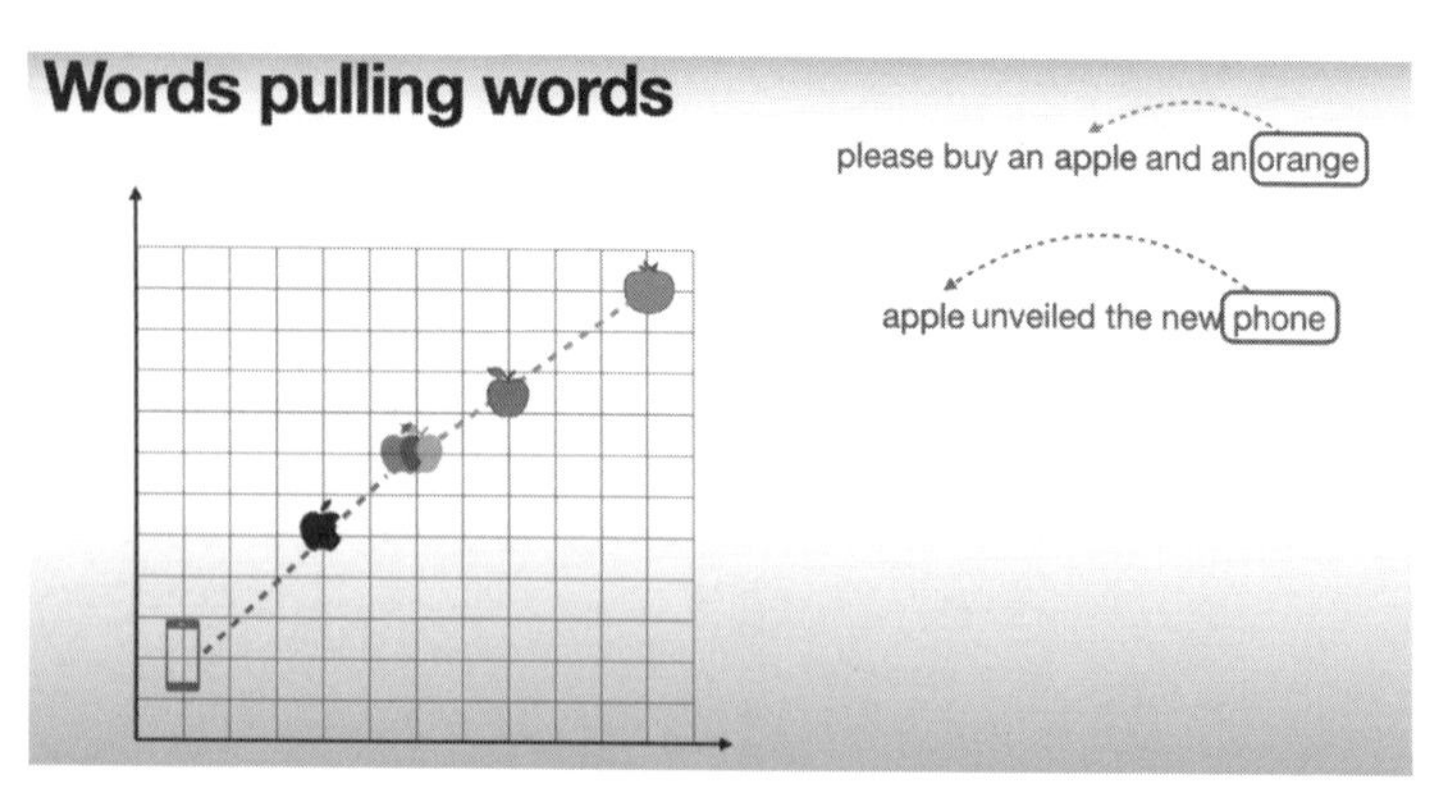

図8

トランスフォーマーの自己注意機構：文脈を正確に理解するための鍵となる単語に注意を向け、そちらへと（意味が紛らわしい）単語を自動的にずらしていくことによって、本来あるべき場所（正確な意味を表す座標値）へと配置することができる（出典："The math behind Attention: Keys, Queries, and Values matrices", Serrano.Academy, YouTube）

う単語に注意を向けることによって、ここでの「アップル」が巨大ＩＴ企業のことであると理解できる。

このようにトランスフォーマーでは、紛らわしい単語の意味を判定する際に、それとは別のどの単語に注意（アテンション）を払うべきかを自動的に感知することができる。

この仕組みを例によって座標空間を使って説明すると、「アップル」のように意味が紛らわしい単語を「オレンジ」や「アイフォーン」など注意を向けた単語の方向に向かってずらしていくことによって、本来あるべき場所（座標値、つまり「言葉の意味を表す数値」）へと修正することができるのだ（図８）。

そこにはベクトルの内積や行列の掛け算など、いわゆる「線形代数」と呼ばれる数学領域の高度なテクニックが使われている。

これが（前述の）「セルフ・アテンション・メカニズム」と呼ばれる仕組みで、この種の数学的な工夫によってトランスフォーマーは言葉の意味を正しく理解できるようになったのだ。

2年間で出来なかった事をたった2週間で

さらにその後の研究で、このトランスフォーマー技術は単にテキスト（言語）のみならず、イメージ（画像）やオーディオ（音声）、ビデオ（動画）など、私達人間が消費する全ての種類のコンテンツに有効であることが証明された。これらのコンテンツも（前出の）テキスト同様、全てベクトルで表現でき、ある種のコンテクスト（文脈）を有しているからだ。

興味深いのは、当時この技術の重要性にグーグルの上層部が気付いていなかったと見られることだ。「Attention Is All You Need」論文の著者（AI研究者）らは「この件で上司に呼ばれて進捗状況の報告を求められたことはほぼない」と後に回想している。つまり彼らは自由な環境でトランスフォーマーの研究開発を行い、それを学術論文として発表することができた。

それでもグーグルはトランスフォーマーの特許を一応申請した。しかし、それはライバル企業がこの技術を使えなくするためではなく、むしろ防御を目的とした特許だ。つまり自社の技術が他社の特許を侵害していると訴えられた時、逆に自社も他社が自分たちの技術を侵害していると反訴できるようにするためだ。

いずれにせよ、グーグル上層部はトランスフォーマー技術の重要性に気付いていなかったことから、その権利問題について口やかましく言わなかったと見られる。つまり事実上の放任状態である。

アルトマンは後に「トランスフォーマーの論文が発表されたとき、グーグル関係者の中で、この技術が（ＡＩ開発において）何を意味するかを理解している人は誰一人いなかったと思う」と述懐している。

一方、グーグルのスンダー・ピチャイＣＥＯは「我々はそれ（トランスフォーマー）が本当に機能するかどうか確信が持てなかったので、とりあえず他社に自由に使わせてみることにした。それで上手く機能するということが判明した段階で、我々（のような巨大企業）が乗り出しても遅くはなかろう。我々がその技術を使えば（小さな）先行企業よりも多くの収穫を得ることができる、と考えた」と（する旨を）述べている。

こうして画期的なトランスフォーマー技術は、グーグルのライバル企業も自由に使うことができるようになったのだ。

OpenAIの研究チームの中で、真っ先にその重要性を見抜いたのはチーフ・サイエンティストのスツケヴァーだ。グーグルの「Attention Is All You Need」論文を読み終えた彼は、「これこそ、我々の待ち望んでいたものだ。これこそ（従来の言語モデルに欠如していた）最後のピースだ」と述べた。

スツケヴァーは（前出の）言語モデルの研究開発を進めていたラドフォードに、トランスフォーマー技術を採用するよう促した。

それに従ったラドフォードは「それまで2年間で成し遂げた以上の進展を（トランスフォーマーの導入によって）たった2週間で成し遂げることができた」と述べている。

こうして2017年を境に、OpenAIはそれまでの自由放任主義から、トランスフォーマー方式に従う新しい言語モデルの研究開発へと徐々に活動を収束させていくのである。

第2章

進化

――転機と決意、集中

２０１６～17年にかけて、新入りのラドフォードが始めた言語モデルの研究開発に一筋の光明を見出したOpenAIだが、この時期は組織内部で早くも軋轢が生じ始めていた。その共同創業者で最大のパトロンでもあるイーロン・マスクが、OpenAIの仕事ぶりに不満を募らせ始めたのである。

第1章で紹介したように、OpenAIは２０１５年末の設立からしばらくは研究活動が迷走し、実質的な成果が出せなかった。それは事実だが、客観的に見れば設立から僅か1、2年程度で目立った成果を出せというのは無理がある。しかしマスクはそうは思わなかった。

彼はブロックマンら技術開発陣に面と向かって「もっと早く、もっと成果を出せ」と迫った。「もうそろそろ大きなブレークスルーを達成しないと、シリコンバレーの笑い草になるぞ」と急き立てた。そして２０１７年には、（必ずしもマスクが決めたとは限らないが）元々数十人程度と少ないOpenAIの研究者の一部が早くも解雇されている。

OpenAIの開発陣に辛く当たるマスクの脳裏には、英国のＡＩスタートアップ企業「ディープマインド」の存在があった。

ディープマインドは気鋭のＡＩ研究者でチェスの名手でもあるデミス・ハサビスらによって、２０１０年にロンドンに共同設立された。２０１４年、グーグルに推定4億ポンド（約７００億円）で買収された後も組織としての独立性は維持され、事実上はハサビスらの指揮の下で

「ビデオゲームで遊ぶＡＩ」などの研究開発に取り組んできた。

この辺りの展開は設立当初のOpenAI（同じくビデオゲームで遊ぶＡＩを開発していた）と似ている。ただ、ディープマインドはOpenAIよりも先に創業した分だけ、成果を出すのも彼らの方が早かった。

ハサビスらの開発チームは、ゲームＡＩの研究で培った「ディープラーニング」や「強化学習」などの先端技術を囲碁に応用して「アルファ碁（AlphaGo）」と呼ばれるＡＩを開発した。

アルファ碁は２０１６年3月、それまで世界タイトルを通算18回も獲得したトップ棋士、韓国のイ・セドルを4勝1敗で下した。当時、囲碁の世界チャンピオンを（アルファ碁のような）ＡＩが打破するのは少なくともあと10年はかかると見られていたのに、あっさり勝ってしまったのである。

中国を起源に２５００年以上もの歴史を有し、伝統的ボードゲームの王者と見られた囲碁がＡＩによって制覇されたことは、大きな衝撃をもって受け止められた。人間の様々な知的活動がいずれコンピュータのようなマシンによって代替される予兆とも見られた。このニュースはメディアで大々的に報じられ、世界的なセンセーションを巻き起こした。

これがマスクのお気に召さなかったようだ。「片や（グーグルの）ディープマインドはあれほど華々しい成果を出して世界的な脚光を浴びているのに、お前たちは一体何をやっているんだ?」とばかりにOpenAIの開発陣を責め立てたのだ。

ディープマインドがマスクの競争心を掻き立てるのには、個人的な理由もあったと見られている。グーグルがディープマインドを買収するよりも前に、マスクはこのスタートアップ企業に早々と注目して投資していたからだ。

ディープマインドの設立から2年後となる2012年、ハサビスはシリコンバレーのつてを頼って大富豪マスクと面会するチャンスを得た。スペースXの工場を訪れたハサビスは、組み立てラインが見渡せるカフェテリアでマスクと昼食を共にしながら、自分たちの会社を売り込んだ。つまりディープマインドへの投資を求めたのである。

このワーキング・ランチで、マスクは「(スペースXが)火星に打ち上げるロケットを開発するのは、地球の人口増加や世界戦争、小惑星との衝突など危機に備えるためだ。いざとなれば人類を火星に移住させるのさ」と壮大な計画を語った。

これに対しハサビスは「それもいいでしょう。でも、(AGIのような)スーパー・インテリジェンスが人類を滅ぼす危険性も忘れてはいけませんよ」と述べた。

これを聞いたマスクは一瞬息を呑(の)んだ。そんな可能性もあるのか、と驚いたのであろう。ハサビスの警告に衝撃を受けたマスクはディープマインドへの投資を約束すると共に、これ以降「AI脅威論」の提唱者として知られるようになる。

このワーキング・ランチから数週間後、グーグル共同創業者・CEOのラリー・ペイジと会ったマスクはディープマインドについて彼に紹介した後で、(恐らくハサビスの受け売りで)いつの日か登場するであろう超越的な人工知能、つまりAGIが人類を滅ぼす可能性に言及するが、ペイジはその話に乗ってこなかった。

ペイジは「超越的なAIやそれを搭載したロボットがいつの日か人類にとって代わる存在になったとしても、それは(人間のような生物からAIロボットなど人工物へと)進化が次の段階に移行するに過ぎない」と考えていたのだ。

一方ハサビスらディープマインドの研究チームは、マスクや著名投資家ピーター・ティールらから調達した資金を使って、1970年代に世界的に流行した「スペース・インベーダー」「ポン」「ブレイクアウト」など古典的なビデオゲームで遊ぶAIを開発した。

このゲームAIが人間のプレイヤーを凌ぐ腕前を見せるようになると、ラリー・ペイジの強い関心を惹いた。彼の肝入りでグーグルが2014年1月にディープマインドを買収すると、当然ながらマスクは機嫌を損ねた。

彼がディープマインドに投資していた金額は500万ドル(約4億円)だが、この会社がグーグルに買収されたことで、マスクは自分が投資した以上の金額をリターンとして受け取った。つまり金銭的には得をしたわけだが、世界的な大富豪マスクの目から見れば大した額ではなかっただろう。

そんなことよりも自分の方が先に注目し、目をかけてきたディープマインドという有望企業をペイジ、つまりグーグルに奪われたような気になったとしても無理はない。

自分の意に反してグーグル傘下に入ったディープマインドに対抗するため、マスクはOpenAIという新たなスタートアップを立ち上げたと見ることもできる。OpenAIが目立った成果を出さないことに彼が殊更イライラを募らせるのには、そうした背景もあったのだ。

しかし、それはマスクだけではなかった。当のブロックマンやスツケヴァーら技術開発陣も内心では自らの不甲斐（ふがい）なさを噛（か）み締めていた。当時を振り返って、その悔しい気持ちをブロックマンは次のように述べている。

「我々はこれまで一体何をやってきたんだ？　何を成し遂げた？　これほど優秀な人材を集めておきながら、それに見合う偉大な成果を全く上げていないではないか」

それまでOpenAIが目立った成果を出せずにいたことには、主に二つの理由が考えられた。

一つは（以前にも紹介したように）設立からしばらくの間、その研究活動が迷走したことだ。どんな組織でも、方向性が定まるまで大きな成果を期待するのは無理である。

しかし、それ以上に大きな問題は資金不足だった。マスクはOpenAIの設立に先立って1億ドル（120億円）の資金提供を確約したが、実際にはまとめてその額を拠出したわけではない。むしろ年に２０００万ドル（20億円以上）程度のペースで段階的に提供していったと見られる。

もちろんピーター・ティールをはじめ他の投資家からも、同程度の資金が提供されたようだ。それらを全部足すと恐らく年間数千万ドル（数十億円）と見られるが、この程度の予算ではOpenAIが掲げる「ＡＧＩ」という壮大な目標を達成するには全然足りなかった。

OpenAIの公式ブログによれば、２０１７年初旬の段階で彼らは「ＡＧＩを実現するには莫大な計算機資源が必要とされ、それを確保するためには年間数十億ドル（数千億円）の資金が必要だ」と認識した。これほど巨額の資金を、OpenAIのような非営利団体として調達するのは極めて難しい、という結論に達したという。

２０１７年の末頃、マスクやブロックマン、アルトマンら首脳陣はOpenAIを事実上、営利企業化することで合意に近づいた。この際、マスクは自身が（営利企業化した）OpenAI株式の過半数と取締役会の指揮権を握って、そのＣＥＯ（最高経営責任者）になることを要求した。有体に言えば、「OpenAIを自分の会社にしたい」ということだ。

しかしアルトマンやブロックマンがこれに難色を示すと、マスクはOpenAIへの資金供給をストップしてしまった。

最大のスポンサーであるマスクに資金供給を止められて、OpenAIはその研究者をはじめ従業員に毎月の給料を払うこともできなくなった。困ったアルトマンがリード・ホフマンに相談すると、彼は当面のつなぎ資金を提供してくれた（ホフマンはLinkedInを創業したことなどで有名な起業家・投資家で、OpenAIの初期の取締役の一人でもある）。

ただしマスクと（残された）OpenAI首脳陣との交渉はその後も続いた。

「OpenAIを自分の会社にする」という最初の提案を却下されたマスクは、次に元々自分の会社であるテスラとOpenAIを合併させることを提案してきた。

２０１８年2月1日、マスクがイリア・スツケヴァーとグレッグ・ブロックマンに宛てて出したメールには「私の見解では、テスラこそがグーグルに立ち向かう上で（OpenAIに残された）唯一の道だ」と書かれている（因みに、この当時マスクが出したメールの宛先はアルトマンではなく、もっぱらブロックマンやスツケヴァーだ。アルトマンの名前はCC欄に記されているケースもある。これらのメールはOpenAIの公式ブログ“OpenAI and Elon Musk, March 5 2024”に掲載されている）。

もっとも、この合併案を最初に思い付いたのはマスクではなく彼の知人のようだ。同じ2月1日のメールには、その知人が前日にマスクに出したメールの文面も転送メッセージとして載っている。

そこには（テスラとOpenAIの合併をマスクに推奨したうえで）「（合併後の）OpenAIはテ

スラにとって金のなる木（cash cow）になるだろう」と記されている。

この知人からのメールを、マスクが敢えてブロックマンらOpenAIの首脳陣に転送した理由は不明だが、推察するにマスクは「これは当事者である自分の我儘ではなく、第三者による客観的な意見だ」ということを示したかったのであろう。

しかし、そこに「OpenAIはテスラにとって金のなる木になるだろう」と書かれていれば、むしろブロックマンやスツケヴァーの反感を買ってしまう。つまりどう考えても逆効果である。案の定、OpenAI首脳陣がこの合併案を拒絶すると、マスクはOpenAIを離脱することを決意した。

２０１８年2月のある日、マスクはアルトマンに付き添われてサンフランシスコにあるOpenAI本社の最上階を訪れ、その従業員らにお別れの挨拶をした。

それは儀礼的で穏やかな式典になるはずだった――マスクは自分がOpenAIを去ることを告げた上で、従業員達のこれまでの努力を讃える。一方、アルトマンもマスクがこれまでしてくれたことに謝意を示し「イーロンがOpenAIを離れるのは、テスラの仕事に集中するためだ」と述べる――そういう手はず、あるいは暗黙の了解だった。

しかし、実際にはそうスムーズに事は運ばなかった。その場にいた人達の証言によれば、マスクは別れの挨拶の途中で「自分はここ（OpenAI）を去るが、ここでやっていたようなＡＩ

の開発はテスラで続けて行う。君たちはもっと速く動く（もっと早く成果を出す）必要がある」と述べたとされる。

これにOpenAIの従業員らはムカッときた。そのうちの一人であるインターン研究員がマスクに向かって「急げ、急げと言うけど、あなたの計画は無謀ですよ」と反論した。この研究員に対し、マスクは「のろま（jackass）!」と言い捨てて、その場を立ち去った。

後日、OpenAI経営陣の一人が「のろまトロフィー」なるものをわざわざ業者に発注して作らせ、このインターン研究員に贈ったという。「あまり気にするな」という慰めと同時に「よくぞ言ってくれた」という感謝も込められているのかもしれない。

非営利団体なのに営利企業という歪な統治体制に

それまで最大のスポンサーであったマスクが離脱したことで、残されたOpenAIの首脳陣はしばし途方に暮れた。（前述の）ホフマンが提供するつなぎ資金で当座はしのげるにしても、本格的な言語モデルや最終目標となるＡＧＩの実現には、巨大なデータセンターや莫大なクラウド・コンピューティングの利用料など、少なく見積もっても数億〜数十億ドル（数百億〜数千億円）の開発費用が必要と見られた。

こうした巨額資金を調達するには、シリコンバレーのベンチャー・キャピタル（ＶＣ）など投資会社に頼るのが常道だが、ＶＣがOpenAIに気前よく投資してくれることはあり得なかった。なぜならOpenAIは非営利団体であって、そんなところに巨額の投資をしても、それに見合うリターンが期待できるはずはないからだ。

かと言ってOpenAIを営利企業化してしまえば、「単なる一企業ではなく、人類全体の利益に貢献する」という設立時のミッションに背くことになる。

そこでアルトマンらOpenAI首脳陣は奇妙な策を講じた。

２０１９年3月、彼らは当初の非営利団体（OpenAI Inc.）を上部組織として維持しつつ、その下に営利企業（OpenAI LP）を設立することにしたのだ。この会社が発行する株式の見返りに、ＶＣや資金力のある大手ＩＴ企業などから巨額の資金を調達することができる。

ただし、OpenAI LPやその株主の利益には上限が課せられ、それを超えるお金は非営利団体のOpenAI Inc.に流れ込むという規約が設けられた。もっとも、これらの上限は非常に高い金額（出資時期に応じて、出資額の7~１００倍）に設定されているので通常超えることはあり得ない。つまり実質的には普通の営利企業と大差ない。

また、企業経営の根幹に関わる重要な決定は非営利団体OpenAI Inc.の取締役会（board）に委ねられた。その構成メンバー（取締役：director）はOpenAI内部からはアルトマン、ブロックマン、スツケヴァーの3名、社外からはアダム・ディアンジェロ、ホールデン・カーノフスキー、リード・ホフマン、シヴォン・ジリス、ターシャ・マッコーリーの5名と全員で8名だった（つまり最大枠の9名からは一人少ない）。社外取締役の5名はいずれも、AIやロボット工学などに詳しい企業家や専門家である。

この8人のうち、OpenAI LPの株式を保有できるのはマイノリティ（つまり最大で3人）のメンバーに限られた。こうしておけば、取締役会のマジョリティ（5人）はOpenAI LPという会社の株価を気にすることなく、「人類全体に貢献する安全なAGIの実現」という設立当初の目標を堅持できる。

この新しい体制の下、アルトマンは営利企業OpenAI LPの初代CEOに就任した。一方、スツケヴァーはそれまで同様チーフ・サイエンティスト、ブロックマンはそれまで同様CTOであると同時に新たに社長に就任した。

一方、非営利団体OpenAI Inc.の取締役会は強力な人事権を有し、たとえアルトマンのような創業者兼CEOでも「安全なAGIの実現」という本来の理念に背くような経営をした（と判断される）ときには、OpenAI LP株主らへの事前の通告をせずとも解雇できる、という決まりだった。

このようにOpenAIは事実上の営利企業に転身しても、その上部組織の取締役会は「株主の利益よりもＡＩの安全性を優先する」という奇妙な方針に従うことになったのだ。

因みにアルトマンは「OpenAI LPの株式を保有していない」と公言している。記者ら報道関係者にその理由を聞かれたアルトマンは「僕は既に十分過ぎる程のお金を持っているので、（OpenAI LPの発行株式で）これ以上の資産を築く必要はありません。僕がOpenAIで働くのはお金よりも（ＡＧＩの実現という）仕事のやりがいのためです」と（する旨を）述べている（彼が同社ＣＥＯとして得ている報酬は年間6万５０００ドル、つまり約１０００万円だ）。

正直綺麗ごとにも聞こえるが、（第1章で紹介したように）彼は推定資産が20億ドルに達する大富豪であることを鑑みれば、実際そんな気持ちになったとしても不思議ではあるまい。

それでもまだ納得できない報道関係者に対して、アルトマンは「そんなに変だと仰るなら、僕も一株だけ持つことにしますよ」と冗談めかして述べているが、実際にはOpenAI LPの株を所有していないと見て良さそうだ。

自由な研究団体から統制のとれたエンジニアリング企業に進化

以上のように、マスクとの確執を経てOpenAIが経営体制（統治構造）を劇的に変化させる中、チーフサイエンティストのスツケヴァーを中心とする技術開発チームは、２０１７年頃からトランスフォーマー方式の言語モデルの研究を着々と進めていた。

（第1章でも紹介した）トランスフォーマーとはニューラルネットの一種であり、ニューラルネットとはざっくり言えば「脳の仕組みを参考にしたＡＩ」のことである。

一説によれば、私達人間の脳には約１０００億個のニューロン（神経細胞）が存在し、それらが互いに接続し合って緊密な情報ネットワークを形成している。これらニューロン同士が互いに接続する箇所は「シナプス」と呼ばれる。そしてシナプスの数が増えれば増えるほど脳は賢くなるとされる。私達人間の脳には約１００兆個のシナプスが存在するとの見方もあるが、正確な数は判明していない。

（ＡＩの一種である）ニューラルネットにおいて、脳のシナプス（ないしは、その接続強度）に該当するのが「パラメータ」と呼ばれる変数である。

スツケヴァーらの見方によれば、トランスフォーマー方式の言語モデル（ニューラルネット）は、そのスケールを従来とは比べ物にならないほど大規模化したときに真価を発揮すると考えられた。

つまりニューラルネットを構成するパラメータの数を桁違いに増やすと同時に、こうしたシステムが学習（トレーニング）用に消化するテキスト・データの分量も同じく大幅に増加させる必要があった。

人間の脳はシナプスが増えるほど賢くなるのと同様、ニューラルネット（言語モデル）もパラメータ数を増加させるほど高性能になる。実際には、そんなに単純な話では済まないとの意見もあるが、思い切って単純化して言えば、そういうことになる。

このように「言語モデル」という情報システムを桁外れに巨大化し、それをトレーニングするための言語データの量もまた増加させるとなると、一大プロジェクトになることが想定された。となると従来のOpenAIの運営体制を根本的に改革する必要があった。

それまでのOpenAIは各々のメンバー（研究者、技術者）が自由気ままに各自の研究テーマに打ち込んで、それを学術論文にして発表する「大学の研究室」のような運営体制であった。

これを改め、ＣＴＯのブロックマンやチーフ・サイエンティストのスツケヴァーらの指揮の下、大勢のメンバーが一丸となって大規模な言語モデルの構築に取り組む統制のとれたエンジニアリング企業のような組織へと転換を図ったのである。

ＧＰＴとは何か？

このような変革期の最中、OpenAIの研究開発チームは２０１８年6月に「Generative Pre-trained Transformer（ＧＰＴ）」と呼ばれる言語モデルを開発した。

このニューラルネットは1億1700万個のパラメーターを備えた巨大システムだが、これにデジタル化された広範囲の文献や各種ソーシャルメディア上の多彩なテキストデータを大量に読み込ませ、これらを機械学習させて一種の汎用システム（AI）を作り出した。

これは「事前学習（Pre-training）」と呼ばれる段階で、GPTという呼称に含まれる「Pre-trained」の由来でもある。事前学習でひとまず汎用化しておいて、後に「チャットボット」や「機械翻訳」、あるいは「（スマホの）音声アシスタント」など個別の用途をこなす専用AIへと転化させる際には、各々の用途に特化した専用文献をシステムに機械学習させるなど、改めて個別のトレーニングを施すことによって最終製品が作り出される段取りだ。

この初代GPT、つまり「GPT-1」はそれ以前に世界各国のAI研究チームが開発した、どの自然言語処理システムよりも高い言語能力を示した。（第1章で紹介した）単なる「センチメント・アナリシス（感情分析）」のようなテキスト判定のみならず、人間とチャット（会話）したり初歩的な文章を生成したりすることができるようになったのだ。

次に開発されたGPT-2は約15億個のパラメーターを備え、GPT-1よりも一段と高精度で自然な文章を生成できるようになった。

これは2019年2月のことだが、当時OpenAIの技術開発陣は「GPT-2を一般公開するのは危険だ」と考えた。悪質なハッカーがフェイク情報を流すために悪用する恐れなどを危惧したのである。

OpenAIは設立当初から自らの技術を特許などで囲い込むことをせず、むしろ論文にして発表したり、自ら開発したプログラムもいわゆる「オープンソース化」して誰でも自由にアクセスして改良することなどを是認してきた。

しかし当時としては余りにもパワフルなＧＰＴ－２の言語能力を目にして、OpenAIはそのオープンな運営体制を改めざるを得なくなったのだ。それでも、このＧＰＴ－２については検討の末、最初はパラメーター数を低く抑えた小規模モデルを公開するなど限定的なリリースに止めたが、最終的には２０１９年11月、15億個のパラメーターを持つ最大モデルをはじめソースコードを全面的に公開した。

また、この頃からＧＰＴ－２のような数十億個ものパラメーターを持つ言語モデルは一般に「大規模言語モデル（Large Language Model：ＬＬＭ）」と呼ばれるようになった。

二股かけていたアルトマンがOpenAIの経営に集中

スツケヴァーやブロックマンらの指揮の下、２０１７年頃からＧＰＴシリーズの開発が本格的に進む中、そもそもOpenAIの発起人とも言えるアルトマンは未だ腰が座らなかった。この当時、彼は（前職の）Ｙコンビネータ社長の座についていながら、同時にOpenAIにも参加していたからだ。

　これらの仕事以外にも、人間の眼球をスキャンして生体認証を行い、そのスキャンに合意した人に「ワールドコイン」と呼ばれる暗号通貨を報酬として提供する「ツールズ・フォー・ヒューマニティ（Tools for Humanity：人類の道具）」など、数々のスタートアップ企業にアルトマンは投資していた。そうしたお金を出す以上、当然それらの会社の経営にも彼は口を挟んでいたはずだ。その分、OpenAIに割く事のできる時間やエネルギーは奪われてしまう。

　当時を振り返って、アルトマンは次のように反省している。

「あの頃のOpenAIにはＣＥＯが存在しなかった。（実質的なリーダーである）僕がこの組織のために費やした時間は（自分の仕事時間全体の）30パーセント程度に過ぎない。しかも、あまり良い仕事をしているとは言えなかった」

　滅多にOpenAIのオフィスに姿を見せないアルトマンに対し、ブロックマンやスツケヴァーはイライラを募らせていたようだ。「サム、何とかウチでフルタイムで働いてくれないかな？」と頼んだとされる。

　推察するに、当時のアルトマンはＹコンビネータとOpenAIのどちらに注力する方が得であるかを見定めていたのかもしれない。そんな中、身体が大きくて威圧感があり、あれこれ口うるさいマスクが2018年2月にOpenAIを去り、スツケヴァーらがトランスフォーマー技術を使って言語モデルの性能を飛躍的に高めていくと、アルトマンは「これならいける！」という手応えを感じ始めたようだ。

この頃から、アルトマンはOpenAIの仕事により多くの時間とエネルギーを割くようになり、逆にYコンビネータのオフィスには滅多に顔を見せなくなった。すると今度はYコンビネータの関係者がイライラを募らせるようになった。社長のアルトマンがこんな体たらくでは、同僚のパートナーや部下たちに示しがつかない。

Yコンビネータの上層部はアルトマンに社長辞任を迫った。アルトマンは最初、のらりくらりとかわしていたが、彼に対する周囲からのプレッシャーは徐々に高まっていった。

Yコンビネータの実質的な人事権を握っているのは、共同創業者のポール・グレアムとその妻のジェシカ・リビングストンである。グレアムは次のように語っている。

「もしも誰かがサム（・アルトマン）に引導を渡したとするなら、それは私ではなくて妻のジェシカだよ。でも、『解雇』という表現は適切じゃない。ジェシカが辞職を促し、サムは即座にそれに従ったんだ」

しかしアルトマンには往生際の悪いところがあった。Yコンビネータの社長を辞任するに際して、今度は（一種の名誉職でも構わないから）「会長」という肩書で引き続き留まれないだろうか、と首脳陣に打診した。

これに先立ちアルトマンは勝手にYコンビネータの公式ブログを更新して、自分の肩書を社長から会長に変更していた。しかしYコンビネータの経営陣はアルトマンの願いを退け、間もなく「サム・アルトマン会長」の氏名と肩書は公式ブログから削除された。

こうしてアルトマンは2019年3月、正式にYコンビネータの社長職を辞して事実上の営利企業と化したOpenAIのCEOに就任した。

当時、OpenAIの研究開発チームは大規模言語モデルを構築するために、クラウド・コンピューティングなど膨大な計算機資源とそれを確保するための数億〜数十億ドル（数百億〜数千億円）に上る巨額資金を必要としていた。

アルトマンがそれを調達することができれば、OpenAIのリーダーとしての自分の実力を皆に示すことができる。

OpenAIのCEO就任と前後するが2018年7月、アルトマンは米アイダホ州の観光都市サンバレーで毎年恒例の「Allen & Co. Conference（アレン&カンパニー会議）」に出席していた。米国の投資銀行アレン&カンパニーが主催する同ビジネス会議は、有力な政治家、企業経営者、文化人などが多数参加する事で知られるイベントだ。

このときアルトマンは、同会議の会場となった大型リゾート施設の階段でマイクロソフトのサティア・ナデラCEOと偶然出くわした。両者はそれまで特に親しいわけではなかったが互いに面識はあった。

最初は階段での立ち話から始まったが、やがてアルトマンは会場席でナデラとじっくり話し込んで、AGIや大規模言語モデルなどOpenAIの事業内容を詳しく紹介した。ナデラはその場で出資を確約したわけではないが、その方向に向けて今後マイクロソフトとOpenAIの間で協議していくことで合意した。

サンバレーの会議からOpenAIの本社に戻ったアルトマンは小躍りして、そのことを皆に伝えた。

「マイクロソフトは我々にとって唯一のパートナーだ。彼らには巨額の資本がある上、（アジュールと呼ばれる）豊富なクラウド・コンピューティング資源も持っている。その上、AIの安全性を確保するためのスタッフも揃(そろ)っているし、AGIについても理解を示してくれたんだ！」

マイクロソフトのサティア・ナデラCEO

OpenAIの実力を見極めるマイクロソフト

これ以降、両社の交渉にはマイクロソフト側からは同社CTOのケビン・スコットが代表として当たる事になった。OpenAIとの間でカジュアルな合同会議などを何度か重ねる間に、スコットはOpenAIの技術開発陣に好印象を抱くようになっていった。

日頃「一企業ではなく人類全体に貢献するＡＩ」というミッションを掲げる集団などまずお目にかかることはないし、そんな現実離れした目標に向かって1日18時間も働く技術者（研究者）達にもそれまで会ったことはなかった。

中でも、特にスコットの関心を引いた技術者が二人いた。

一人はチーフ・サイエンティストの肩書を持つイリア・スツケヴァー。一見、自信過剰とも受け取れる程に強気な若者だが問題意識にブレが感じられなかった。

彼に代表されるOpenAIの研究者達は「『我々が今やるべきことはこれだ、解決すべき問題はこれだ、倍賭けすべきことはこれだ』ということが、各人の頭の中でいつも整理されていた」とスコットは述べている。

もう一人はミラ・ムラティという名の女性技術者だ。１９８８年、バルカン半島の小国アルバニアに生まれた彼女が物心つく頃は、この国が従来の共産主義体制から民主主義体制への移行に伴う混乱期にあった。経済が困窮して社会不安を引き起こし、国全体に大規模な暴動が何度も巻き起こった。

「市街地では誰かが銃で撃たれ、サイレンが鳴り響いていました」とムラティは当時を振り返る。

周囲の混乱にもめげず、ムラティは学校で得意な数学の勉強に集中して多感な少女時代を乗り切った。16歳になるとカナダの私立高校から奨学金を得て留学することができた。

「どんな悪い状況でも『いつかは良くなる』と信じて努力し続ければ、実際そうなるものです」と彼女はスコットに語った。

ムラティはカナダの高校を卒業すると、米国のダートマス大学などで機械工学を学び、航空機の部品を製造するメーカーに一旦勤務した後、２０１３年テスラに入社して同社の高級ＳＵＶ「Model X」の開発に従事した。そして２０１８年、OpenAIに研究者（技術者）として加わった。

ムラティは淀（よど）みなく英語を話すが、ベラベラ喋（しゃべ）りまくるというタイプではない。むしろボソボソと呟くように語る。OpenAIの事業内容などについてスコットがどんな難しい質問をしても、ムラティは動じる気配を見せなかった。

スコットはOpenAIの仕事場も見学した。ある日、ルービック・キューブを五本の指で器用に操作するロボット・ハンドを見せられて感心したが、その次に仕事場を訪問したときには、もうそれは置いてなかった。OpenAIの研究者に理由を聞くと、「あの研究は十分に将来性があるとは言えないので次に進むことにしました」という答えが返ってきた。「あれでも将来性が足りないというのか。本当に凄いアイディアを沢山持っているんだな」と改めて感心した。

こうしてかなりの時間をかけてOpenAIの技術開発陣やその仕事ぶりを観察したスコットは、彼我の違いに愕然(がくぜん)とした。この頃、マイクロソフトはAIの開発競争で大きくリードするグーグルに対抗するために、自分たちでも高度なAI技術を開発する必要に迫られていた。

しかし先を走るグーグルの背中は遠のくばかりで、マイクロソフト社内には絶望感が漂っていた。ある重役はスコットに対し「AIの開発はデータのゲームだ。グーグルは(主力の検索エンジン事業などのお陰で)大量のデータを蓄積し続けており、我々は非常に不利な状況に置かれている。その差が縮まることは絶対にないだろう」と述べた。

これらの調査を経てスコットは「OpenAIの技術者は信頼に足りる。彼らに(AI開発の)仕事を任せるべきだ」という感触を得た。

この報告を受けたナデラをはじめマイクロソフトの経営陣もまた、「(マイクロソフトのように）従業員数が20万人を超えるような巨大企業では、官僚化の弊害からＡＩのような革命的技術を実現するには適していないかもしれない」と思った。「むしろ、もっと小さくて敏捷なスタートアップ企業の方が適しているのではないか」と。

２０１９年7月、マイクロソフトはOpenAIに10億ドル（１０００億円以上）を出資することで合意した。（これと前後する形で）その切っ掛けを作ったアルトマンは２０１９年3月、（前述のように）OpenAIの初代ＣＥＯに就任している。

OpenAIはさらに「コースラ・ベンチャーズ」や「セコイア・キャピタル」「アンドリーセン・ホロウィッツ」など名だたるＶＣからも相当の資金を調達することに成功した。

これらの資金を使って、OpenAIの研究チームは大規模言語モデルの開発を加速させた。その成果はみるみる現れた。

２０１９年夏のある日、外気が少し冷たくなってきた黄昏時に技術開発陣の仕事場を訪れたアルトマンは、そこで見た光景を脳裏に焼き付けて忘れることがなかった。

ある技術者のコンピュータ画面に、大規模言語モデル（ＬＬＭ）の規模や機械学習に使われるデータ量・計算量が増加するほど指数関数的、つまり天井知らずにＬＬＭの性能も上昇していくことが滑らかな曲線として描かれていた（従来はシステムの規模や学習データ量などを増やしても、ＬＬＭのようなＡＩの性能はどこかで頭打ちになると考えられていた）。

後にＡＩ専門家の間で「スケール則」と呼ばれるようになる現象を、彼らはいち早く目撃したのである。

その場は単なるエンジニアリングというより、自然科学の一法則を発見したかのように厳粛な雰囲気に包まれた。

スケール則を示す美しい曲線を見つめながら、アルトマンは「ＡＧＩは単に可能であるばかりか、皆が予想する以上に早く実現されるのではないか」と思った。

この研究成果は２０２０年1月、「ニューラル言語モデルのスケール則（Scaling Laws for Neural Language Models）」というタイトルの論文として発表され、それ以降、大規模言語モデルを開発する研究者らの間でバイブルのような存在になった。

当時、OpenAIでこの研究をダリオ・アモデイらと共に行ったジャレッド・カプランは「スケール則は天文学や物理学の法則と同じくらい正確な法則だ」と述べている（カプランは米ジョンズ・ホプキンズ大学の物理学・天文学の准教授でもあり、後にOpenAIの職を辞して、そのライバルとなるアンソロピックをアモデイらと共同で創立した）。

「Scale is All you need（必要なのは規模を大きくすることだけだ）」が彼らの合言葉になった。とにかくシステムのパラメーター数や学習量を増加させれば、大規模言語モデル（ＬＬＭ）の性能は天井知らずにアップしていくことが科学的に証明されたのである。

これ以降、OpenAIやグーグル、フェイスブック（現在のメタ）などの間でLLMの機械学習に使われるデータの争奪戦が激しさを増していった。

加速するLLM開発のために悪魔に魂を売り渡す

2020年6月、OpenAIは実に1750億個ものパラメーターを備え、約4990億トークン（token）ものテキスト・データを機械学習した次世代LLM「GPT－3」を限定的に公開した（「トークン」とはAI研究者がよく使う専門用語だが、基本的には「単語（word）」とほぼ同義と見て構わない）。それまでにグーグルやフェイスブックなどライバル企業が開発したLLMとは比較にならないほど大規模なシステムであった（次ページ図9）。

GPT－2のときと同様、あまりにも強力なAIなので、一般公開すれば社会的に悪用される危険性が高いとの理由で、GPT－3のソースコードや機械学習用のデータセットは原則的に非公開となった。

ただ、OpenAIの研究チームは2020年に発表した論文の中で、GPT－3の機械学習に使われたデータセットの大まかな内訳を公開している。

それによれば2008年以来、米国の非営利団体「コモンクロール（Common Crawl）」が

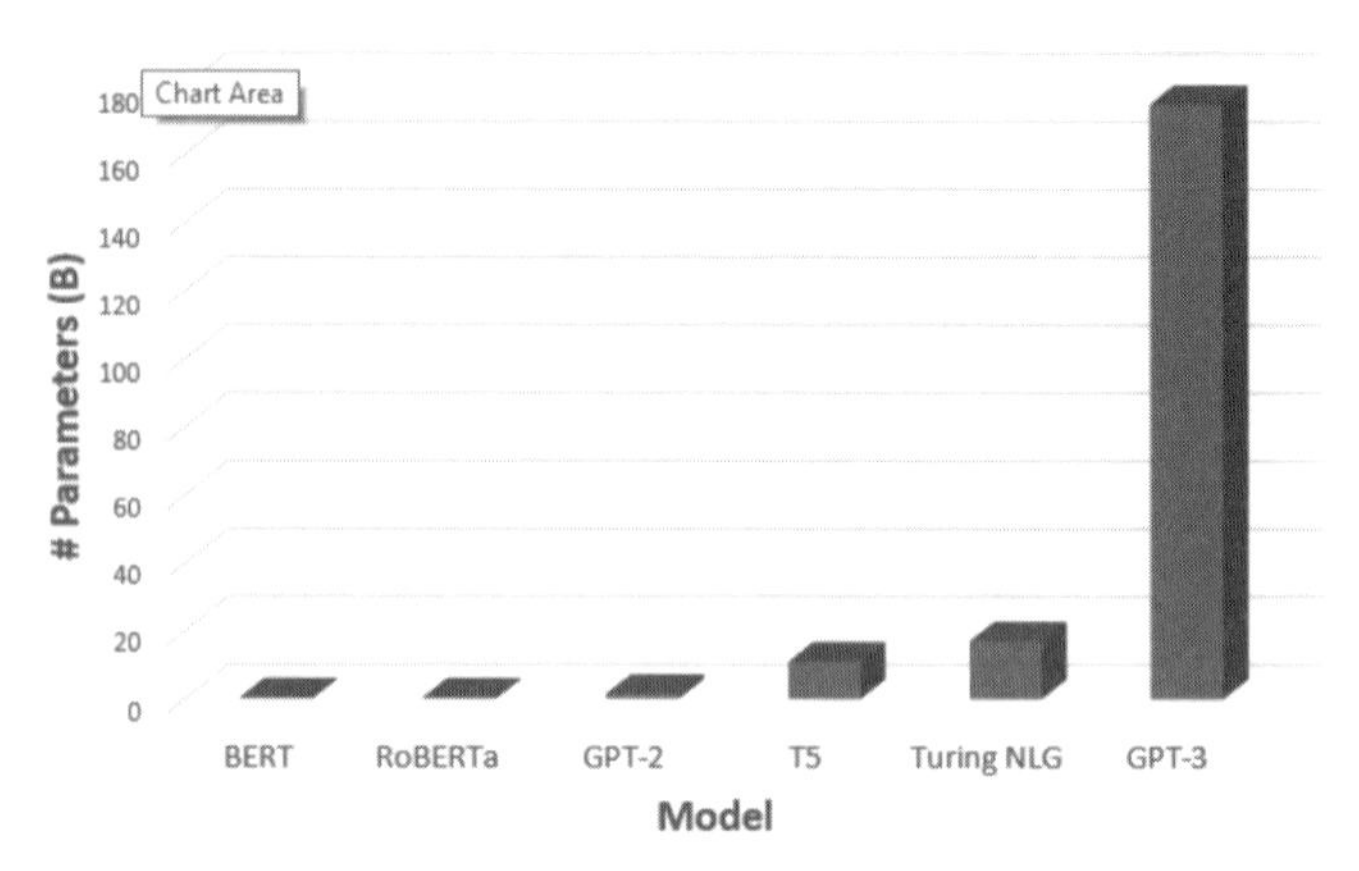

図9

LLMのシステム規模を示すパラメーター数の推移：横軸はほぼ時間の推移を表す。BERTとT5はグーグル、RoBERTaはフェイスブック（2019年当時）、GPT-2とGPT-3はOpenAI、TuringNLGはマイクロソフトが開発した（出典：https://towardsdatascience.com/gpt-3-the-new-mighty-language-model-from-openai-a74ff35346fc）

インターネット全体から収集してきたテキスト・データが約４１００億トークン、ウィキペディアのデータが約30億トークン、電子化された書籍データが約６７０億トークン、そして（オンライン・フォーラムの）レディット関連のデータが１９０億トークンの計４９９０億トークンである。

ＧＰＴ－３は当時としては驚くべき言語能力を備えていた。たとえば「エミリー、ごめんね、僕は君とこれ以上一緒にいることはできない」あるいは「私、この度一身上の都合で退職することと致しました」等、冒頭の一文を入力してやるだけで、ＧＰＴ－３は普通なら書くのが気の重い「別れの手紙」や「辞職届」などを人間に代わって書いてくれるというのである。

ただしGPT－3は一般公開されなかったので、一般ユーザーがこれを使うことはできなかった。OpenAIのオフィスに招待された記者など報道関係者を隣に座らせ、研究チームの技術者らがGPT－3をデモして見せることによって、その驚くべき能力が世間に報じられたのである。

ここからOpenAIは大規模言語モデルの可能性を他の領域へと押し広げていく。

2021年1月にはGPT－3をベースに開発された画像生成AI「DALL-E（ダリー）」をリリースした。ユーザーが入力する「プロンプト」と呼ばれる指示文（リクエスト）に従って、それに対応する画像を描き出す人工知能である。

このDALL-Eという呼称の由来は、シュールレアリスムの巨匠「サルバドール・ダリ（Salvador Dali）」と2008年に公開されたユーモラスなロボットを主人公にしたハリウッド映画「WALL-E」をかけ合わせた造語である。

実際「チェスを指す二匹の子猫」や「トランペットを吹くテディ・ベア」などのプロンプトに従って、シュール（超現実的）な画像を出力することでDALL-Eは話題になった。

それを改良したDELL-E 2は2022年4月にリリースされ、初代の製品よりも格段に高精細でリアルな画像を描くことができるようになった。

ただしＧＰＴシリーズ同様、これらの画像生成ＡＩもフェイク情報の拡散をはじめ社会的に悪用される恐れがあるなどの理由で、当初は一部の専門家や報道関係者らを対象にした限定公開であった。しかし２０２２年の後半からDALL-E 2は徐々に一般ユーザーにも公開され、最終的には誰でもほぼ無料で使えるようになった。

DALL-E 2の後を追って、他のＡＩ開発業者も「ステーブル・ディフュージョン（Stable Diffusion）」や「ミッドジャーニー（Midjourney）」など画像生成ＡＩを次々とリリースし、（後のChatGPTほどではないが）一種のブームを巻き起こすと同時に「漫画家やイラストレーターなどクリエーターの著作権を侵害する恐れ」が指摘されるなど様々な物議も醸した。

OpenAIはまた、２０２１年6月にマイクロソフトと共同で「GitHub Copilot」と呼ばれるコード生成ＡＩ、つまりプロンプトに応じてコード（コンピュータ・プログラム）を生成する人工知能もリリースした。こちらも同じくＧＰＴ－３をベースに開発された（画像生成やコード生成などのＡＩについては後の章で詳しく紹介する）。

これらの動きと前後して、サティア・ナデラＣＥＯをはじめマイクロソフトはOpenAIに対し20億ドルの追加出資を決めた。（前述の）初期投資と合わせて総額30億ドル（３０００億円以上）もの巨額出資となる。ただし、そこには幾つもの条件が課せられ、非常に複雑な契約内容となっている。

まず、それらの巨額出資は実はOpenAIが自由に使えるキャッシュ（現金）として提供されたのではなく、事実上は一種の計算機資源として提供された。OpenAIがＧＰＴ－３や（後述する）ＧＰＴ－４など大規模言語モデル（ＬＬＭ）を開発するには、大量のテキスト・データ等を使ってシステムをトレーニングする「機械学習」と呼ばれるプロセスが必須だ。そこではクラウド・コンピューティングなどの膨大な計算機資源が必要となっている。

マイクロソフトがOpenAIに出資した総額30億ドルの大半は、それら機械学習用のクラウド資源の利用料として使われた（残りのお金は、恐らくOpenAI従業員の給与など人件費に使われたと見られる）。しかもOpenAIはマイクロソフトのクラウド「アジュール」を使わなければならない、という条件が課せられていた。

つまりOpenAI側から見れば、自社株式の一部をマイクロソフトに与える見返りに、同社の豊富なコンピューティング資源を使わせてもらう、という構図である。そこまでしなければならないほど、ＬＬＭの開発には膨大な計算機資源が必須と見ることもできる。

またマイクロソフトは後々、自らの製品開発のためにOpenAIが開発したＬＬＭ技術などを独占的に使うことができる、というライセンス契約も交わされた。

つまりマイクロソフト側から見れば、自分たちは現金も株式も提供することなく、単に自分たちのクラウド資源アジュールをOpenAIに使わせてあげるだけで、OpenAIの株式やその高度な技術力を手に入れたことになる。

これについてOpenAI関係者の中には「ファウスト的な取引（Faustian bargain）」と呼んで嘆く人もいた。改めて紹介するまでもないかもしれないが、これはドイツの伝説的な物語「ファウスト」に由来する表現だ。この物語で、主人公のファウストは自らの魂を悪魔メフィストフェレスに売り渡すことで、その引き換えに世俗的な享楽や権力を手に入れる。

つまり「ファウスト的な取引」とは、一般に何か大切なものを犠牲にして一時的な成功や力を手に入れることを意味する。OpenAIがマイクロソフトと交わした契約がまさにそれに当たるのではないか、ということだ。

このようにOpenAIがマイクロソフトとの結び付きを深め、営利企業としての側面を強めていくに連れ、創立当時の「人類全体に貢献する安全なＡＧＩを実現する」という理念に賛同してOpenAIに参加した研究者らは、アルトマンら経営陣に不信感を募らせた。

そのうちの一人が、ＧＰＴ－３の開発で主導的な役割を果たしたダリオ・アモデイだ。彼はグーグルでＡＩの研究開発に携わった後、OpenAIに共同創業者として加わっていた。

米メディアの報道によれば、OpenAIがマイクロソフトから巨額の出資を受けた後、アモデイはOpenAIの取締役会に働きかけてアルトマンを解任しようとした。しかしアルトマンは巧みにこの危機を乗り越え、逆に彼の追放に失敗したアモデイとその部下達がOpenAIを去ることになったという。

ただしアモデイ自身はそうしたクーデターの存在を否定しており、「自分たちは（主義主張の違いはあっても）円満にOpenAIを退社した」と述べている。

２０２１年、アモデイや（前出の）カプランをはじめ約15名の研究者・技術者らは「アンソロピック」というＡＩスタートアップを立ち上げた。この会社は「ＡＩ憲章（Constitutional AI）」と呼ばれる自主ルールを設けるなどして、「雇用破壊」や「人類滅亡」等の重大な危害をもたらさない安全なＡＩ開発を目指している。

ビル・ゲイツが絶句したＧＰＴ－４の実力とは

一方、OpenAIは大成功を収めたＧＰＴ－３に続いて、２０２１年頃から次世代モデル「ＧＰＴ－４」の開発に着手した。この頃から同社はこれら超先端技術の公開に一層慎重になり、ＧＰＴ－４のパラメータ数（つまりシステムの規模）や機械学習に使われたデータの量や種類などについて一切明かさなくなった。

ただ、一部の業界関係者の見方では、ＧＰＴ－４のパラメータ数は約１兆７０００億個とされる。もし本当にそうであれば、これはＧＰＴ－３（１７５０億個）の約10倍となる、文字通り桁違いの大規模言語モデルとなる。

一方、その機械学習に使われたデータ量は約1兆〜3兆トークンとの見方がある。本当にそうなら、（ＧＰＴ－３の学習量が約４９９０億トークンだから）こちらも桁違いに増加したことになる。

ＧＰＴ－４が完成して一般公開されるのは２０２３年3月のことだが、OpenAIは既に２０２２年の中盤には半ば開発済みであったＧＰＴ－４をマイクロソフト首脳陣など一部関係者に向けて限定公開している。

２０２２年8月、マイクロソフトのナデラＣＥＯはＧＰＴ－４を自分で使ってみる機会を得た（実際には自分の手で直に使ったというより、ＧＰＴ－４をデモするために訪れたOpenAI技術者の手を介して使ったと見られる）。

（インド出身の）ナデラは13世紀ペルシャの有名な詩人ルーミーの詩（当然ペルシャ語で書かれている）をインドの公用語の一つであるウルドゥ語に翻訳するようＧＰＴ－４に命じた。ＧＰＴ－４は見事にこれをやってのけた。

次にナデラは、ウルドゥ語に翻訳されたルーミーの詩を今度は英語に翻訳するようＧＰＴ－４に命じた。これも正確に成し遂げられた。

これらの様子を目にしたナデラは「神よ！　これは一体……」と絶句した。

翌9月、ナデラはマイクロソフトの幹部達や同社研究所の首脳陣をマイクロソフトの会議室に召集してGPT－4をお披露目した。その場には、アルトマンとブロックマンがGPT－4をデモするために訪れた。

二人は会議室に集まったマイクロソフトの重役達に向かって「何でも（GPT－4に）聞いてください」と質問を促した。同社幹部の一人が「光合成について教えて」とリクエストすると、GPT－4は光合成の概念や仕組みを正確に解説したばかりか、植物が生長・生存するためには光合成以外の原理は有り得ないことを理路整然と説明した。

この瞬間、マイクロソフト研究所のピーター・リー所長は自分の後ろの席に座っている部下達の方を振り返って「一体、何が起きているんだ？（君達は説明できるか？）」と尋ねた。

これとほぼ同時期、マイクロソフト共同創業者のビル・ゲイツもGPT－4の驚異的な能力を目の当たりにしている。

ゲイツは以前から、GPTシリーズのような大規模言語モデル（LLM）には懐疑的な見方をしていた。LLMのように単語と単語を確率的につなぐようなやり方では、言葉の意味を正確に理解したり、自然な文章を生成したりすることは不可能と考えていたのであろう。

2022年8月、アルトマンとブロックマンは部下の一人であるAI研究者を伴って、シアトル近郊ワシントン湖の湖岸にあるゲイツの大邸宅を訪ね、その居間に案内された。アルトマンらに同伴したAI研究者は、高校時代に国際生物学オリンピックに参加してメダルを獲得したことがあった。つまりAIと共に生物学のエキスパートでもある。

大規模言語モデルの潜在能力や将来性に懐疑的だったゲイツは以前、アルトマンらに向かって「もしも（GPT－4が）AP生物学テストに合格できる事を示したら、その能力を認めてあげようじゃないか」と提案したことがあった。

「AP生物学テスト（Advanced Placement Biology Test）」とは、米国の高校生が大学レベルの生物学を学ぶためのカリキュラムの一環として実施される試験だ。それは生物学の広範な分野をカバーしており、分子生物学、遺伝学、進化論、エコロジー、システム生物学など多岐にわたる内容が含まれる。これらの試験は自由記述式と選択式問題の2種類から構成される。

このテストに合格した高校生は、大学入学後に生物学の基礎単位を既に取得したものとして認定される。つまり他の大学生よりも有利な立場に置かれるのだ。

ゲイツの目の前でアルトマンらはGPT－4にAP生物学テストの選択式問題を解かせ、その解答を彼らに同伴したAI研究者が採点した。GPT－4は60問中、59問で正解を返した。これを見たゲイツは両目を見開いて返す言葉も無かったという。

これ以降、ナデラをはじめマイクロソフトの首脳陣はOpenAIを全力で支援し、その技術力に倍賭けしていくことになる。既に出資済みの30億ドルに加え、追加で100億ドル（1兆円以上）をOpenAIに出資する事を検討し始めたのだ。

マイクロソフトとの結び付きを強めることで一部関係者から「悪魔に魂を売った」とまで非難されたアルトマンだが、それによって当時のOpenAIが水面下で凄まじい技術力を蓄えていたことも、また事実なのである。

第3章

飛躍

——メガヒットに至る経緯と隠された軋轢

２０２２年の11月初旬、OpenAIの技術開発陣は最新モデル「ＧＰＴ－４」の完成に向けた作業が大詰めを迎えていた。

その本社ビルがあるサンフランシスコ市内のミッション地区では、晩秋の柔らかな日差しがビクトリア朝スタイルの街並みを黄金色に染め上げている。しかしOpenAIの技術者達は、窓越しに見える鮮やかな街の景色に目をやる余裕もないほど追い込まれていた。

既にＧＰＴ－４はかなりの程度まで開発され、（第2章で紹介したように）２０２２年の半ばにはマイクロソフトのＣＥＯサティア・ナデラや共同創業者ビル・ゲイツの目の前でその驚異的な能力をお披露目できる段階にまで達していた。

が、製品としてリリースするには未だ深刻な問題を抱えていた。

確かにＧＰＴ－４はウェブ上の膨大なテキスト・データなどを機械学習することによって、ほぼどんな質問を投げかけられても詳しい答えを返せるようになっていた。

しかし、その一方で質問の種類や聞き方によっては、人種・性的な偏見を含むヘイトスピーチを吐き出したり、誤った情報を回答として返したり、一見まことしやかな作り話、いわゆる「ハルシネーション（幻覚）」を生成することもあった。

最終調整に手間取りリリースが延期される最新モデルGPT－4

OpenAIの技術開発陣はGPT－4の完成（製品化）までに、これらの欠点を矯正する必要があった。それは主に「RLHF（Reinforcement Learning from Human Feedback：人間のフィードバックによる強化学習）」と呼ばれる手法に頼ることになる。

RLHFとは、GPT－4のような大規模言語モデル（LLM）の出力結果に対し、人間の評価者がポジティブ（賛成）またはネガティブ（反対）のフィードバックを返すという手法だ。LLMはそのフィードバックを反映して、次回からよりポジティブな出力結果を生成する方向へと回答を調整する。

つまりLLMが偏見、誤情報、幻覚などを回答として生成した場合、人間の評価者からネガティブなフィードバックを得ることにより、LLMは次回から同じ過ちを繰り返さなくなる。

しかし容易に想像がつくように、これは非常に手間と時間のかかる作業である。

本来の計画では、遅くとも2023年初旬にはGPT－4をリリースすることになっていた。それは何種類かの「チャットボット」、つまり「対話型のインターフェース」を組み込んでユーザーに提供される予定だった。こうすればITの専門知識を持たない一般消費者でも（チャットボット化された）ＧＰＴ－４を自由自在に使いこなすことができる。

２０２２年11月の時点で、OpenAIの従業員数は創業時の数十名から３７５名にまで増員されていた。その多くは技術者（研究者）だが、このように技術開発陣が大幅に増強されても大規模言語モデルの矯正作業など最終調整には時間がかかった。

それまでＧＰＴ－４の完成・リリースは延期に延期を重ねていたが、２０２２年の終盤に差し掛かっても未だにゴールラインは見えてこなかった。

OpenAI首脳陣の中には「それなら、むしろ一つ前のモデルを製品化して先に一般公開してはどうか」という代替策を提案する者もいた。

２０２０年に限定公開されて（メディア報道などを通じて）大きな話題となったＧＰＴ－３は、その後の改良を経て「ＧＰＴ－３・５」と呼ばれるようになった。これは既にＲＬＨＦによる矯正作業などの最終調整を済ませており、（もちろん完璧ではないが）偏見や誤情報、幻覚等の諸問題はかなり抑えられていた。

これを誰でも使えるチャットボットにして一般公開するという代替案である。これなら今すぐにでもリリースすることができるはずだ。

このように彼らが先を急いだのは、ライバルの動向を意識してのことである。OpenAIがうかうかしている間に、グーグルやメタのようなビッグテック、あるいは幾つかのスタートアップ企業などが自主開発したLLMをチャットボット化して、いつリリースしてもおかしくなかった。これらの会社に先を越されてしまえば、OpenAIはそこにユーザーを奪われてしまう恐れがある。

OpenAIの首脳陣が特に意識していたのは、2021年に開発方針の違いなどからOpenAIを離脱したダリオ・アモデイらが設立したAIスタートアップ「アンソロピック」である。アモデイはOpenAI在籍時にGPT－3の開発をリードするなど、その技術力には定評があった。彼の指揮下でアンソロピックが作り出すLLMやそのチャットボットは相当高度な製品になると見られた。

が、そんな事よりも自分達と袂(たもと)を分かって出て行った人たちに先を越されるのは癪(しゃく)に障った。OpenAIとしては是が非でも、アンソロピックより先に自分たちの新製品をリリースしたかったが、最新モデルのGPT－4を完成させてリリースするまでにはまだ相当な時間がかかりそうだった。

古いモデルを先に出すことをアルトマンが決断

2022年の11月中旬、アルトマンやブロックマンをはじめ首脳陣は本社最上階の会議室に集まって策を練った。その場でアルトマンが決断を下した――OpenAIは古いモデル、つまりＧＰＴ－３・５をチャットボット化してリリースする。しかも気前よく無料でユーザーに提供するのだ。

この緊急のチャットボット計画は、当初「Chat with GPT-3.5（ＧＰＴ－３・５とのお喋り）」と呼ばれた。OpenAIの経営陣は技術開発チームに、このチャットボットをたった２週間で開発するよう命じた。

既に、そのベースとなるシステムは存在した。

この数か月前、アルトマンとブロックマン、そして生物学の得意なＡＩ研究者らがゲイツの邸宅を訪ねてＧＰＴ－４をデモした際、ゲイツが見やすいようにと一種のＧＵＩ（グラフィカル・ユーザー・インターフェース）を予め社内でこしらえて用意していた。ゲイツ邸ではそれを介してＧＰＴ－４と質疑応答したのである。

このＧＵＩに若干手を加えた上でＧＰＴ－３・５と結合すればチャットボットは即完成する。これなら２週間あれば出来るだろう、というわけだ。

しかし、この俄かプロジェクトは技術者らの不興を買った。

「自分たちは既にＧＰＴ－４の仕上げ作業で手一杯なのに、何故また旧モデルに手を加えるような（つまらない）仕事を引き受けなくてはいけないのか？　しかも、たった２週間で仕上げろとは勝手過ぎる」と彼らは思ったのである。

これに対し、OpenAIの経営陣は次のように述べて技術者らを懐柔した。

「確かに本命は今、君たちが開発中のGPT－4だ。しかし、いきなりGPT－4という強力な最新モデルをリリースするより、それより少し古くてインパクトの小さいモデル（GPT－3・5）をチャットボットにして誰でも使えるようにする。先にこういう下準備をしておいてからGPT－4をリリースする方が、社会を混乱させる心配もないし一般ユーザーの理解も得やすいだろう」と。

もちろん、その場凌ぎの言い訳でもあるのだが、こうしたオープンな姿勢は、それまでOpenAIがGPT－2やGPT－3などの一般公開を躊躇したり、控えたりしてきたのとは対照的である。

ここにはOpenAI内部の根本的な方針転換が反映されている。

つまり「将来、AGIのようなスーパー・インテリジェンスを実現して安全に社会に広めるためには、まずは既存のAI技術を一般公開して、ユーザーから寄せられる様々な反応を見る。それを次の技術開発に反映させながら、徐々に一般公開するAIのレベルを上げていく」という方向に彼らは舵を切ったのである。

GPT－3・5をベースに作られるチャットボットはその第一弾というわけだ。

当時、アルトマンら首脳陣はこれを「目立たない予備調査（low key research preview）」と表現した。つまり本格的な製品というよりは、ユーザーの反応を見るための調査に過ぎないというわけだ。

後に、こうした段階的リリース方針は「反復展開（iterative deployment）」と呼ばれるようになる。

OpenAIの技術者らは最初あまり乗り気ではなかったが、結局は経営陣の要求通り2週間でこのチャットボットを完成させた。その名称は、当初予定されていた「Chat with GPT-3.5」を短縮して「ChatGPT」となることが決まった。

ただ、「目立たない予備調査」という位置付けからも分かるように、OpenAI社内の誰一人として、この急ごしらえのチャットボットが大ヒットするとは思っていなかった。

従業員らはChatGPTのリリースから最初の1週間の利用者数を予想して賭けたが、賭けた人数が最も多かったのは「10万人」だった。

ChatGPTが記録的ヒット商品に

彼らは間違っていた。

2022年の11月30日、OpenAIはChatGPTを一般公開したが、社員の大半はそれに関心を払っていなかった。中にはその日リリースされたことを知らない者もいたという。

しかし瞬く間にChatGPTの利用者数を示すカーブが跳ね上がった。同時にあまりにも多数のユーザーが殺到して、OpenAIのサーバーが何度もパンクする程だった。技術者達は対応に追われてオフィス内を右往左往した。

宣伝らしい宣伝はしていない。その日の朝、OpenAIが公式ブログでChatGPTを紹介し、アルトマンがそれについてちょっとツイートした程度だ。

たったこれだけの告知活動で、ChatGPTはヴァイラル式に人から人へと広まっていった。リリースから5日目には利用者数が100万人に達した。既にこの頃には米国のテレビや新聞など主要メディアも盛んに報じ始めた。

これもあって約2か月後となる2023年1月末には、ChatGPTの月間利用者数は1億人を突破した。スイスに本社を置く世界的な金融機関UBSは、ChatGPTを「史上最速のペースで成長する消費者向けアプリケーション」と認定した。

こうしてChatGPTは記録的なヒット商品となり、OpenAIはそれまでの単なるシリコンバレーの有望スタートアップから世界的な有名企業へと飛躍を遂げた。

それにしても何故、ChatGPTはこれほどの大成功を収めることができたのか？　後で考えてみれば、その理由はほぼ自明であった。

第2章で紹介したように、ChatGPT（つまり、そのベースにあるGPT－3・5）とほぼ同じ能力を有するGPT－3は既に2020年、米国や欧州諸国を中心に公開されていた。ただ、このときは一般ユーザーではなく、主に報道関係者に向けた限定的なデモ公開であった。

人間と自由にチャット（テキストベースのお喋り）したり各種の文章やコンピュータ・プログラムを生成したりするGPT－3の実力に記者達は驚いた。が、それらの報道を目にした一般の人たちは、自分で実際に使ってみたわけではないのでピンと来なかった。

ところがChatGPTでは、まさに私達自身が自らの手で最先端の大規模言語モデル（をベースとするチャットボット）を操作できるようになったので、漸く、その驚くべき能力を実感することができた。これが爆発的ブームを巻き起こした主な理由と見られている。

ChatGPTは単に人とチャットをするだけでなく、大学の試験問題を解いたりビジネスの各種課題に対処したりするなど、その汎用性も注目を浴びた。

たとえば米国の有名ビジネス・スクールの試験問題をChatGPTに解かせたところ、「B」や「Bプラス」の評価を得た。またメールの返信を書いたり、業務レポートや新規事業の企画書を書いたりすることもできた。

最初は胡散臭い目でChatGPTを見ていた一般の人たちも、やがて「これは自分の仕事に役立ちそうだ」という感触を得ると俄かに目の色が変わった。

ChatGPTは同じ仕事をやらせる場合でも、言葉による指示いわゆる「プロンプト」の出し方によって出力結果がかなり変わってくることが分かってきた。ChatGPTのような生成AIから出来るだけ良い成果を引き出すためのテクニックは「プロンプト・エンジニアリング」と呼ばれ、ビジネス・パーソンの新たなスキルとして注目を浴びた。巷の書店には、この種のスキルを紹介する書籍が何冊も並んだ。

このように教育からビジネスまで幅広い分野における有用性を示したことで、ChatGPTに関するメディアの報道は日を追うごとに過熱していった。

これを見たマイクロソフトは2023年1月、提携するOpenAIに推定100億ドル（1兆3000億円以上）もの追加出資を決め、以前からの出資額も合わせると総額130億ドルもの超大型投資となった。

これによりOpenAIの発行株式総数に占めるマイクロソフトの持ち分は49パーセントになった。仮に50パーセント以上に達すれば、米FTC（連邦取引委員会）による反トラスト法（独占禁止法）の捜査対象になる恐れもあることから、同社CEOのサティア・ナデラはその直前で踏み止まったようである。

これと同時にマイクロソフトの検索エンジン「ビング」や、主力製品「エクセル」「ワード」「パワーポイント」など業務用ソフト（のウェブ版）にも、OpenAIのGPT－4をビジネス用に改良したLLMが組み込まれることになった。

既に2019年7月には（当時はまだ無名の）OpenAIに10億ドルもの初期投資を決断していたナデラは、今になって周囲からその慧眼を讃えられ鼻高々であった。

OpenAIへの初期投資に至る経緯は第2章で紹介したが、そこでは恐らくナデラ自身の人柄や見識も大きく味方したと考えられる。

OpenAIに巨額出資を決めたサティア・ナデラとは

サティア・ナデラとはどんな人物なのだろうか？

彼は1967年、インド南部で150万人以上（当時）の人口を抱える大都市ハイデラバードに生まれた（2024年現在の人口は1100万人以上）。父親はインド政府の元高官で、農村開発に関わる重要な役割を担っていた。母親はインドの古代言語「サンスクリット語」の講師をしていた。

ナデラはインドのマニパル工科大学で電気工学の学士号を取得した後、米国に留学してウィスコンシン大学でコンピュータ科学の修士号を取得した。

そして米国のコンピュータ・メーカー（当時）、サン・マイクロシステムズに勤務した後、1992年にマイクロソフトに入社した。1997年には（恐らく会社に勤務しながら）シカゴ大学でMBA（経営学修士号）も取得している。

ナデラはマイクロソフトの「アジュール」などクラウド・コンピューティング部門の成長を牽引（けんいん）した業績が認められ、2014年2月に同社のCEOに抜擢された。当時、米ニューヨーク・タイムズ紙に掲載されたインタビュー記事には、彼の人柄を忍ばせる次のようなエピソードが紹介されている。

インドでの学生時代、ナデラはクリケット・チームで「ボウラー（野球のピッチャーに該当）」のポジションを任されていた。ある試合の途中、精彩を欠く投球をしていたナデラにチームのキャプテンがしびれを切らして「自分が投げる」と言い出した。実際、このキャプテンの方が良い投球をして味方のピンチを凌いだ。

ナデラはそのままキャプテンが投球を続けると思った。ところが彼はその後、ナデラをボウラーのポジションに戻して再び投球させたという。

「私はキャプテンにその理由を聞かなかったが、恐らく彼は私のポジションを奪ったまま投球を続ければ私の自信を破壊してしまうことを知っていたのだろう。私は彼の後を受けて再度投球し、沢山のバッターをアウトにとることができたお陰で自信を取り戻すことができた。

私はこの経験によって、リーダーがいつチームに介入して、いつその自信を回復させるかについて重要な教訓を学んだ。リーダーに課された最大の役目は、自分が率いるチームの自信を育むことだと私は思う」とナデラは語っている。

こうした人材育成に対する認識は恐らく、後のマイクロソフト経営者としてのナデラの決断に活かされているはずだ。

彼が2018年にアイダホ州のアレン&カンパニー会議でアルトマンと偶然顔を合わせた当時、OpenAIが掲げる「AGI（汎用人工知能）」というSFまがいの最終目標を真面目に受け取る大企業の経営者など一人もいなかった。

そうした中で、ナデラはアルトマンらの夢を真剣に受け止めると同時に、「マイクロソフトのような硬直化した巨大組織が出来ないなら、OpenAIのような若い企業にAIという有望技術の開発を任せるべきだ」と考えた。そして、この会社をマイクロソフトの豊かな資金力やクラウドなどの計算機インフラで支援する事を決めたのである。

もちろん後から振り返れば、両社が資本提携について交わした契約はマイクロソフト側に有利な条件が目立つ（第2章参照）。そこには恐らく、ナデラの抜け目のないビジネスマンとしての一面が表れているかもしれない。しかし、そうした計算高さの一方で、ナデラが当時のOpenAIを本気で助けようとした善意にも嘘偽り（うそいつわ）はなさそうだ。

そうでなければ、アイダホ州の会議から帰社したアルトマンが高揚した様子で「マイクロソフトは我々にとって唯一のパートナーだよ」と皆に報告する事はあり得ないだろう。

グーグルはなぜ生成AIブームに乗り遅れたのか?

このマイクロソフトとは対照的に、グーグルはChatGPTに端を発する突然の生成AIブームに虚を突かれた感がある。

ChatGPTで先行するOpenAIやマイクロソフトの快進撃を見たグーグルは、慌ててChatGPTに対抗するチャットボット「バード(Bard)」を2023年2月に発表した。

しかし、その性能を披露するデモでバードは「太陽系外の惑星を世界で最初に撮影したのは、(2021年に打ち上げられた米国の)ジェームズ・ウェッブ宇宙望遠鏡です」と回答した。

これに対しNASA(米航空宇宙局)が自らのホームページで「太陽系外惑星を最初に撮影したのは欧州南天天文台の超大型望遠鏡で、それは2004年のことです」と訂正した。

この不手際を受け、(グーグルの親会社)アルファベットの株価は一時7パーセント以上も下落した。それまでIT業界で圧倒的な強さを見せつけてきたグーグルが、今や守勢あるいは追う立場に回ったことを業界関係者は感じ取った。

グーグルはこれ以降、主力の検索エンジンにＬＬＭの技術を組み込んだ対話型の「ＳＧＥ（Search Generative Experience：生成ＡＩによる検索体験）」（後に「AI Overview」と改名）をリリースするなど追い上げを図っている。が、そうしたＡＩの生成する奇妙な回答が一部ユーザーの間で笑い物にされるなど不手際が目立つ（詳細は第5章で）。総じてグーグルは世界的な生成ＡＩブームの中で往年の勢いが感じられない。

OpenAIのChatGPTやDALL-Eを始め様々な生成ＡＩのベースとなっているのは（第1章で紹介した）「トランスフォーマー」と呼ばれる技術だが、これを２０１７年頃に発明したのはグーグルの研究チームである。

つまりグーグルは生成ＡＩの基盤となる技術を独自開発しながら、それを自らのビジネスに十分活かすことができずにOpenAIやマイクロソフトの後塵（こうじん）を拝している。

何故、こんなことになってしまったのだろうか？

少なくとも２０１０年代半ばまで、グーグルは傘下のディープマインドが開発した「アルファ碁」が囲碁の世界チャンピオンを破るなど人目を引くパフォーマンスによって、世界のＡＩ開発をリードしているように見えた。

しかし外から見た印象とは裏腹に、グーグルの内情はＡＩ開発に関する労使間の軋轢などから徐々に保守的な方向へと傾いていった。

2017年4月、米国防総省は当時の「IS（イスラム国）」など中東のテロ対策に向けて「プロジェクト・メイブン」と呼ばれる軍事計画を立ち上げた。このプロジェクトでは、米軍のドローンやスパイ衛星などが撮影する紛争地帯の画像をディープラーニングで分析し、テロリストなどを上空から監視するシステムを開発する。

この監視システムの開発業務をグーグルが国防総省から受注したことが、2018年にウェブ・メディアでリークされた。するとグーグルの従業員達が「自分たちの技術が軍事に利用されるのは心外だ。そもそも『邪悪になるな（Don't be evil）』という創業時のモットーに反するではないか！」と経営陣に猛抗議した。

これを受けグーグルのスンダー・ピチャイCEOはプロジェクト・メイブンから手を引くと同時に、今後はこうした軍事計画に一切関与しないことを従業員に約束した。

同じ頃、グーグルの副社長がかつて部下の女性職員にホテルでオーラル・セックスを強要していたなど、深刻なセクハラ問題が数件発覚した。この副社長が辞職する際に9000万ドル（約100億円）もの退職金を受け取っていたことも明らかになった。

これらの不祥事を受け、2018年11月には米シリコンバレーをはじめロンドン、シンガポール、東京、ベルリンなど世界50以上の都市・地域で約2万人のグーグル社員が抗議のデモ行進をした。因みに当時、グーグルの従業員は世界全体で約10万人いたから、同社社員の5人に

１人がデモに参加したことになる。

これらのスキャンダルはテレビや新聞など主要メディアでも盛んに報じられた。それまで培ってきた良好なブランドイメージが脆（もろ）くも崩れる怖さを知ったグーグルは、これらの事件を契機に対外イメージを気にする保守的な傾向を強めていくことになる。

画期的なＡＩ論文の共著者らが全員グーグルを去る

そうした中でグーグルは、２０１８年にトランスフォーマー技術を応用した初期の大規模言語モデル（ＬＬＭ）「バート（ＢＥＲＴ）」を開発した（前出のチャットボット「バード」とは別物）。以降、こうしたＬＬＭの後続バージョンを次々と作り出していく。

しかし、これらのＬＬＭがときに人種・性的な偏見や完全に誤った情報、さらには根も葉もない作り話（いわゆるハルシネーション）などを出力することが、グーグル社内の「倫理的なＡＩ」チームによって発見された。

このチームを率いていたＡＩ研究者ティムニット・ゲブルが、これらＬＬＭの諸問題を指摘する共同論文を社外に向けて発表することになった。しかし、この動きがグーグル経営陣の目に留まり、発表を止めさせようと勧告し論文を撤回するか否かで揉（も）めた後、ゲブルは結局同社を去ることになった。

　これについて彼女は「自分は解雇された」と述べたが、逆にグーグル側では「ゲブルは辞職した」としている。いずれにせよ、ゲブルはグーグルを退職した後、最終的にその論文を発表した。

　ゲブルはエチオピア出身の女性研究者で、それ以前からグーグル社内における白人男性中心の企業文化を批判していた。その彼女が事実上解雇された（と見られた）ことで、それまでリベラルな企業文化を謳ってきたグーグルのブランド・イメージがまたも傷ついた。

グーグルのスンダー・ピチャイCEO

　そこには別の影響も生じた。

　グーグルの経営陣はゲブルを退職に追いやる一方で、彼女から指摘された大規模言語モデルの人種・性的バイアスやハルシネーション（幻覚）等の問題にも神経を尖らせるようになった。ピチャイをはじめ同社首脳陣は、これらの危険性を孕んだＬＬＭ技術を迂闊に製品化してしまえば、グーグルのブランド・イメージをさらに傷つけてしまうのではないか、と危惧したのだ。

もちろん彼らも大規模言語モデルなど生成ＡＩの潜在的な可能性には期待していたが、それ以前から始まっていた保守化の傾向がこうした先端技術を前に進めることへのブレーキとなった。

グーグルはトランスフォーマーなど生成ＡＩの基盤技術を生み出しながら、それをChatGPTのように独立した新製品としてリリースすることを躊躇した。つまり画期的技術で次なる大型市場を開拓しようとするよりも、既に確立した「検索エンジン」などの巨大市場を守る方を優先した。いわゆる「イノベーターのジレンマ」に陥ってしまったのである。

このような経営陣の姿勢を見て、トランスフォーマー技術を開発した有能なＡＩ研究者らが「自分の力を十分発揮できない」等の理由から次々とグーグルを退社した。（前出の）「Attention is All You Need」論文を共同執筆した8人のＡＩ研究者はその後、全員がグーグルを去った。彼らは各々スタートアップ企業を立ち上げたり、中にはOpenAIのメンバーに加わったりした者もいる。

２０１０年代の半ばをピークに一時は世界のＡＩ開発で独走状態にあったグーグルだが、こうしていつの間にか、その熾烈（しれつ）な開発競争で遅れをとっていたのだ。

世界的な生成AIブームとそれに対する懸念

ChatGPTの登場に慌てるグーグルを尻目に、OpenAIは2023年3月14日、満を持して最新モデルの「GPT－4」をリリースした。当初は特定のパートナー企業や開発者らに対して先行提供し、間もなく一般消費者にも「ChatGPT-Plus」という月額20ドル（2700円前後）の有料サービスからGPT－4を使えるようにした。

早速使ってみたユーザーからの反応は悪くなかった。GPT－3・5に比べてGPT－4の精度は明らかに改善し、情報の誤りやハルシネーションなどの問題は（完全に解決されたわけではないが）大幅に減少した。

GPT－4は米国の大学入学選考に使われる共通テストSATで1410点という高得点を記録し、米国の司法試験では上位10パーセントに入る好成績を残した。

このように一部の分野で並みの人間を上回る知的能力を示したことで、ChatGPTやGPT－4に対する社会的関心は一層高まり、それらに関する報道は日を追うごとに過熱していった。

マイクロソフトやグーグルなど米国勢のみならず、中国のビッグテック「百度（Baidu）」

も巨額の資金を投じてチャットボットやその技術を応用した新型検索エンジンを開発し、他の大手IT企業やスタートアップもこれに続いた。さらに欧州や日本でも関心が急激に高まるなど、世界的な生成AIブームが盛り上がっていった。

が、これと並行するようにChatGPTのような生成AIに対する懸念や反感、危機感なども高まっていった。

たとえば「生成AIが私達の仕事を奪うのではないか」「子供達や学生らが生成AIに宿題などをやらせてしまうので学力が落ちるのではないか」、あるいは「生成AI製の偽画像やフェイクニュースなどが蔓延することで、現実と虚構の境界線が消えてしまうのではないか」といった事が取り沙汰された。

特に2024年は、米国の大統領選をはじめ世界的な選挙イヤーになるが、ここで生成AI製の偽動画などフェイク情報が世論操作に悪用されるのではないか、との懸念が生じている。

また、著作権侵害の恐れも指摘されている。ChatGPTのようなテキスト生成AI、あるいは「ステイブル・ディフュージョン」や「ミッドジャーニー」など画像生成AIの開発では、世界中の作家や漫画家、イラストレーターなどが過去に製作した膨大な作品が、それらクリエーターには無断でAIのトレーニング（機械学習）に使用されている。

「これは著作権の侵害だ」として、米国では著名な作家やコメディアン、あるいは一般のSN

Sユーザーらが OpenAI などに対して集団訴訟を起こした。また漫画家やイラストレーターらクリエーターは画像生成AIを開発・提供する「スタビリティAI」などのスタートアップ企業を提訴している（詳細は第4章で）。

これら雇用破壊やフェイクニュース、あるいは著作権侵害など現実的な脅威に加え、AIはいずれ「人類存亡の危機（existential risk）」をもたらす、との極端な見方も出てきた。ChatGPT など生成AIは今後指数関数的な成長を遂げ、そう遠くない将来、人類全体をも上回る超越的な人工知能、いわゆる「AGI」が誕生する。これが邪悪な方向に進化すれば、人類を滅ぼすかもしれない、というのだ。

一般の人達から見れば半ばSFじみていて俄かには信じ難いのだが、実際 ChatGPT ブームが盛り上がった2023年の春頃には、米国の「Future of Life Institute」という思想団体が「（雇用破壊やフェイク情報、ひいては人類存亡の危機を回避するために）巨大AI実験を中断せよ」とする公開書簡を発表し、これにはイーロン・マスクのような著名人に加えてヨシュア・ベンジオ（カナダのモントリオール大学教授）などディープラーニングの発達に貢献した本物のAI研究者も署名するなどシュールな展開となった。

公的な存在へと脱皮するアルトマン

これら高まる期待と懸念を背景に、生成ＡＩブームの火付け役となったOpenAIのサム・アルトマンＣＥＯは単なる一企業、あるいは一組織のリーダーから、もっと公的な存在へと変わっていった。

ChatGPTが米欧でブームを巻き起こし始めた２０２３年1月、アルトマンは首都ワシントンD.C.で催された民主・共和両党の議員20名との朝食会に臨んだ。

普段は着慣れないスーツに身を包んだアルトマンは（まだ完成前のテスト版）ＧＰＴ－４のデモを行うと同時に、議員らからの様々な質問に応じた。彼らは所詮ＡＩについては素人であるから、中には答えが自明であったり馬鹿馬鹿しい質問も少なくなかったが、アルトマンはそんな気配はおくびにも出さず、どんな質問にも丁寧に答えた。

この朝食会に出席した議員の一人は「素晴らしい会合だった。（ＡＩに関する色々な疑問が解消して）気分がすっきりした。彼はやる気と熱意があり、極めて有能だ」とアルトマンを絶賛した。

アルトマンを「人たらし」と呼ぶのは失礼かもしれないが、とにかく議員達からの受けは良かったようだ。ある議員とChatGPTやＡＩについて話し込んでいるアルトマンに、ちょっと離れた所にいる別の議員らから「サム、こっちに来て我々にも話をしてくれよ」と声がかかるのだった。

２０２３年5月初旬、今度はカマラ・ハリス副大統領からアルトマンにお呼びがかかった。このときはグーグルやマイクロソフト、（新興の）アンソロピックなどＡＩ関連企業のＣＥＯ達と同席する会議形式だった。ホワイトハウスを訪れた彼らに向かって（その会議の途中から参加した）ジョー・バイデン大統領は「君たちがやっていることは途方もない潜在性と危険性を秘めている」と述べた。

これに対しアルトマンらテック企業のＣＥＯ達は、ＡＩに関する規制の在り方や中国企業への対応などについて各々（おのおの）持論を展開した。彼らはＩＴ業界による自主規制をバイデン大統領に約束したが、それは拘束力の無い抽象的なものに過ぎなかった。

さらに同年5月中旬、今度は上院議会の公聴会に証人としてアルトマンは召喚された。

通常、シリコンバレーのＩＴ企業経営者はこのような機会を嫌がるものだ。古くは１９９８年、マイクロソフトが反トラスト法違反の疑いで司法省から提訴された際、同社のビル・ゲイツＣＥＯ（当時）は上院公聴会に召喚されて、同社のビジネス慣行を巡る疑いについて証言した。

この場で意地悪な質問をする議員らにゲイツは警戒感や敵対心を露わにしたため、その後マイクロソフトは裁判などで不利な立場に追い込まれる羽目になった。

比較的最近では、グーグルのスンダー・ピチャイやアマゾンのジェフ・ベゾス、さらにはフェイスブック（現メタ）のマーク・ザッカーバーグら大物ＣＥＯが議会公聴会に召喚されているが、（第三者が見る限り）いずれも嫌々ながらこれに応じ、証言席では議員たちからの挑発的な質問に対して当たらず触らず、ないしは防御的な答弁に終始した。

これに対しアルトマンはむしろ積極的に、あるいは嬉々として公聴会に臨んだ感がある。年初の朝食会などで好印象を植え付けておいたせいか、証言席に座ったアルトマンに議員らから意地悪で挑発的な質問が投げかけられることは皆無だった。むしろ、どの議員も穏やかな笑顔を浮かべてアルトマンに（公聴会出席への）感謝の意を述べてから質問に入るのだった。

ＡＩの可能性と危険性に関する質問に対し、アルトマンは「この技術（ＡＩ）が間違った方向に進めば途轍（とてつ）もない惨事につながると思います。我々はそれを公に認めると同時に、そうした惨事を未然に防ぐために政府と協力していきたいと思います」とそつなく答えた。

ＡＩによる雇用破壊を懸念する質問には「確かにある領域の仕事は失われますが、新しく生まれる仕事もあるでしょう。政府が労働者への影響を緩和する施策を実施することが重要です」と答えた。

同じく公聴会の証言に臨んだ某大学教授の意見に賛同する形で、アルトマンはGPT－4のような大規模言語モデル（LLM）へのライセンス制度を提唱した。新たな政府機関を設けて、ここがLLMの安全性を検査するためのテストを実施し、これに合格した製品にはライセンス（免許証）を与えたうえで一般ユーザーへの公開を許可したらどうか、というのだ。

この公聴会から間もなく、アルトマンはブロックマンやスツケヴァーらと共同で「国際原子力機関（International Atomic Energy Agency：IAEA）」に匹敵する「AI開発の監督・規制機関」を設けるべきだ、とする声明を発表した。

つまり（AGIのように超強力な）AIは原子力エネルギー、いやハッキリ言えば核兵器にも匹敵する脅威になると警鐘を鳴らしているのだ。

アルトマンとオッペンハイマー

アルトマンがAIと核兵器を対比して語ることは以前にもあった。

2019年、ニューヨーク・タイムズ記者の取材に対し、（OpenAIのCEOに就任したばかりの）アルトマンはロバート・オッペンハイマーの有名な格言を引用して、核兵器やAIに対する自分の見解を述べた（オッペンハイマーは1945年8月に広島、長崎に投下された世界最初の原子爆弾を開発する米国のマンハッタン計画を主導した物理学者)。

「(新しい)技術が生まれるのは、それが可能であるからだ(Technology happens because it is possible)」

つまり「新しい技術はその良し悪しによらず、可能であれば必然的に開発されてしまう」という主旨である。AGIのような高度人工知能も原子爆弾のような核兵器と同じく、たとえそれがどれほど大きな危険性を内包していたとしても「可能な時期が来れば必ず開発されてしまう」とアルトマンは言いたいのだ。

だからこそIAEAに匹敵する強力な監督・規制機関が必要だというわけだろう。

アルトマンは自分の誕生日がオッペンハイマーと同じ4月22日であることも公言している(オッペンハイマーは1904年生まれ、アルトマンは1985年生まれだ)。彼が自分とオッペンハイマーを重ね合わせて考えていることはほぼ間違いない。

因みに2023年7月21日から米国で公開された、クリストファー・ノーラン監督の「オッペンハイマー」をアルトマンも(恐らく)映画館で鑑賞した。公開早々にこの映画を見たらしく、同年7月23日の日付で次のようなツイート(X)を発信している。

「僕は『オッペンハイマー』が子供たちに『自分もいつか物理学者になりたい』と思わせるような映画であることを期待していた。でも実際に見てみると、その域には達していなかった。

そんな映画を（新しく）作ろうよ」

実際に原爆を開発した（本物の）オッペンハイマーは当時、米NBCのドキュメンタリー番組の中で（インドの古典バガヴァッド・ギーターから引用して）「私は今や『死』になった。世界の破壊者になったのだ」と述べて、深い悔恨の念を示した。

ノーラン監督の映画もオッペンハイマーのそうした暗く自戒的な側面を強調した作品だが、アルトマンはその点が気に入らなかったようだ。

もちろん普通に考えれば、アルトマンが原爆などの核兵器を支持していることは絶対に有り得ないだろう。その一方で彼がオッペンハイマーという科学者個人、ないしはその能力を高く評価していることは間違いなさそうだ。

国際スターへの道を歩み始める

米国政界でのロビー活動やホワイトハウス訪問、議会証言などの合間を縫って、アルトマンは世界を回る旅に出た。各国の政治指導者や知識人らと膝を詰めて議論し、AIの可能性や危険性などの正しい理解を促して、その一層の開発・普及に向けた環境を整えようとする狙いだ。

当初は2023年5月にスタートする予定だったが、それを4月に前倒しして、まずは日本を訪れた。4月10日、突如来日して東京の首相官邸や自民党本部などに足を運んだアルトマンは、岸田文雄首相や議員らを相手にOpenAIの日本進出や個人データの扱いなど今後の事業計画について語った。

翌5月、いよいよ世界的な大ツアーが始まった。

世界22か国、25都市を歴訪する旅に出たアルトマンは、フランスのエマニュエル・マクロン大統領、英国のリシ・スナク首相、スペインのペドロ・サンチェス首相、ドイツのオラフ・ショルツ首相、インドのナレンドラ・モディ首相、韓国の尹錫悦（ユンソンニョル）大統領、イスラエルのイツハク・ヘルツォグ大統領ら要人と次々会談した。最後には欧州委員会のウルズラ・フォン・デア・ライエン委員長と並んで記念写真まで撮った。

これら政治リーダーに加え、各国の知識人や著名人、文化団体、研究機関などとの会合やイベントが山ほど組まれていた。普段米国カリフォルニアにいるときには、かなり重要なイベントでもほぼジャージなどラフな服装で通してしまうアルトマンだが、さすがにこれら海外の公式行事にはブルーのスーツを着て臨んだ。

ロンドンでは、たった1日の間に産業界や学会の代表らを相手にした円卓会議、オックスフォード大学の学生や関係者600名以上が出席するセミナー、100名以上の起業家・技術者らが参加する技術ワークショップ、ロンドン大学での講演、そして最後にスナク首相との会談と五つのイベントが組まれた。

アルトマンとそのPR担当者、警護要員らを乗せたメルセデスの高級バンは一つの会場から次の会場へと猛スピードでダッシュした。途中レストランに立ち寄る暇もない過密スケジュールなので、（ベジタリアンの）アルトマンは車中でサラダを口に搔き込んでランチとした。

次の会場の駐車場に到着してクルマから降りたアルトマンに、待ち受けていた報道陣からカメラのフラッシュがいっせいに焚かれる。

「僕にばかり注目が集まるのは困る」とアルトマンは殊勝なことを言うが、「言ってることとやってることが違うだろ」というのが周囲の一致した見方ではなかろうか。

どんなイベントに行っても、会場の参加者らから聞かれることはほぼ同じである。

「AIは私達の仕事を本当に奪うのですか？」「AIは教育への悪影響があるのでは？」「やはりAI規制を設けるべきでしょうか？」「AI兵器についてどう思いますか？」「AIはいつか人類を滅ぼすのでしょうか？」

これらの質問に、アルトマンは相手の目を見ながら真剣な眼差しで答えた。

「その質問は以前に何度も聞きました」などとは決して言わない。むしろ「そんな質問は初めて受けました」とばかりに、目を丸くして感心した様子で答えるのである。

会場で立ち話をするアルトマンの周りにたちまち人だかりができる。警護要員がそれらの人たちを押し退けて空間を確保しようとするが、アルトマンは「構わない」とばかりに鷹揚に手を振る。誰もが彼と並んでセルフィーを撮りたがった。ひとしきりしてアルトマンは車に乗り込み、次の会場に向かう。

これらのツアーを経て、２０２３年6月に再来日したアルトマンは慶應義塾大学の三田キャンパスを訪れ、会場に詰め掛けた８００名以上の学生達と演壇の上から対話した。

ある学生から「(ChatGPTのような) 生成ＡＩはその便利さゆえに人間を駄目にしてしまうのでは？」と聞かれたアルトマンは「むしろ人類をクリエイティブにするものです。かつて電卓が出来たことによって教室で計算に費やす時間が要らなくなり、その代わりに代数や幾何を教えることができるようになりました。生成ＡＩによって今後、それと同じようなことが起きると思います」と答えた。

「ＡＧＩとは何でしょうか？　具体的な定義を教えてください」という質問には「ＡＧＩについては多様な定義があります。既に『ＧＰＴ－４がＡＧＩだ』と言う人もいれば、『ＧＰＴ－４はＡＧＩには程遠い』と言う人もいます。ＡＧＩの定義は特定のある時期にピンポイントで決まるのではなく、そういうファジーな期間を経て、いつか気付いてみたらそうなっていたというように決まるのではないかと思います」と答えた。

これら以外の様々な質問にもアルトマンはそつなく答えた。会場に詰め掛けた学生たちは熱い視線で彼の意見に耳を傾けた。この頃のアルトマンはあたかもポップスターのようなオーラを全身から放っていた。

OpenAIの内部で軋轢が高まる

こうしてアルトマンが世界を飛び回っている頃、OpenAI社内では不穏な空気が漂い始めていた。元々、OpenAIには２０１５年末の発足当初から首脳陣や従業員らの間に思想的な亀裂（きれつ）が生じていた。

ごく単純化して言うと、OpenAIの取締役会や経営陣、さらに技術開発チームなどは、OpenAIが最終目標とするＡＧＩなど高度ＡＩの開発方針について「警戒主義者（alarmist）」と「加速主義者（accelerationist）」という二つのグループに分かれた。

前者は「人類存亡の危機につながるかもしれないＡＧＩのような強力ＡＩには、慎重な上にも慎重を期して開発に臨まなければならない」とするグループ。その代表は（第2章で紹介した）２０２１年にOpenAIと袂（たもと）を分かって、アンソロピックを設立したダリオ・アモデイら一群のＡＩ研究者だ。彼らが去った後も、OpenAIの内部に警戒主義者のグループは引き続き存在した。

後者はＡＧＩなど高度ＡＩのリスクを認めた上で、「それでも人類全体の利便性や幸福のためにはＡＩの技術開発を加速すべきだ」と考えるグループである。もちろん口には出さないが、内心ではＡＩ技術の商用化で生まれる莫大（ばくだい）な富に期待している人たちである。特に取締役会の構成メンバーには両者の対立が凝縮されていた。

本書の「はじめに」でも紹介したように、２０２３年11月の時点でOpenAIの取締役会は３名の内部取締役と３名の社外取締役の合計６名で構成されていた。

この３名の社外取締役のうち、ヘレン・トナー（米ジョージタウン大学・研究者）とターシャ・マッコーリー（米シンクタンク「ランド研究所」研究員）の２人は「効果的利他主義（Effective Altruism：ＥＡ）」の信奉者とされる。

ＥＡとは、時間やお金、才能など限られた資源を最も効果的に使って最大限の善を社会に為すことを信条とする思想、ないしは社会運動である。

２０２２年に破綻した世界的な暗号通貨取引所ＦＴＸの創業者、サム・バンクマン・フリード（ＳＢＦ）もＥＡの信奉者として知られるが、彼は（前出の）ダリオ・アモデイらが設立したアンソロピックに総額５億８０００万ドルを出資している（ＳＢＦは後に詐欺などの罪でニューヨーク連邦地裁から有罪判決が下され、２０２４年３月に25年の刑期を言い渡されたが翌４月に控訴した）。

これらEA派の人達は日頃「AIは人類を破滅に追い込む危険性がある」として、その開発には極めて慎重な姿勢で臨むべきだと主張している。

つまりトナーとマッコーリーの2人はOpenAI取締役の中で「警戒主義者」という位置づけになる。もう1人の社外取締役、アダム・ディアンジェロ（質疑応答サイト「Quora」の共同創業者・CEO）はこの二人程ではないが、どちらかと言えばAI開発に対する慎重派と見られた。

一方、社内取締役のサム・アルトマンとグレッグ・ブロックマンの二人は日頃「AIのポテンシャルを最大限に引き出す技術開発と安全性のバランスを重視する中立派」を自認していたが、トナーやマッコーリーら警戒主義者はそう思ってはいなかった。アルトマンらは表向きには中立派を装っても、内心ではむしろAIの活発な開発と商用化、それによる利益を優先する加速主義者ではないかと彼女達は見ていたのだ。

これに対し、もう一人の社内取締役であるイリア・スツケヴァーは本物の警戒主義者だった。彼はいつの日か登場するAGIが産業革命以来の技術革新や生産性の向上を社会にもたらすことを信じていた。

しかし、その一方で、AGIが自らを改良する能力を育むことで予想外の発達を遂げたり、その強大な能力が破壊的な用途に使われたりすることを危惧していた。このため（将来AGI

へとつながるかもしれない）大規模言語モデルなど先端ＡＩの開発を自らリードする一方で、その実用化（製品化）には極めて慎重な姿勢で臨むべきだと考えていた。

ChatGPTの予想外の大ヒットに伴う周辺状況や社会情勢の変化によって、OpenAIの内部ではこれら加速主義者と警戒主義者の間の亀裂が深まっていった。

中でもスツケヴァーは、２０２３年3月にリリースされた最新鋭のモデルであるＧＰＴ－４の性能が日を追うごとに上昇していることに危機感を募らせた。今のペースで進化すれば遠からずＡＧＩの域に達してしまうと感じられたからだ。

OpenAIの社内で、スツケヴァーは「ＡＧＩを感じる（feel the AGI）」と口癖のように言い出した。従業員の親睦パーティで彼が「ＡＧＩを感じる！」と叫んで、自分の後に続くよう周囲に促すと、日頃スツケヴァーの技術力に心酔している同僚達も口々に「ＡＧＩを感じる！」「ＡＧＩを感じる！」……と連呼した。

２０２３年7月、スツケヴァーは社内に「スーパー・アラインメント」チームを立ち上げた。「アラインメント（alignment）」とは本来「調整」を意味するが、ここではＧＰＴ－４のようなＡＩが将来「スーパー・インテリジェンス（超越的な知能）」であるＡＧＩの域に達したときに、人類に危害を加えることがないよう、今からその準備をしておくことを意味する。

この「スーパー・アラインメント」チームではOpenAI内部のサーバーやＧＰＵなど計算機

資源の20パーセントを費やして、今後10年以内に誕生するＡＧＩの脅威に対処する上流工程の安全技術を開発することになった。その言語表現が複雑かつ抽象的なので具体的に何をするのかが今一つ分からないが、少なくとも将来訪れるであろう「人類存亡の危機」に備えた心構えや覚悟は伝わってくる。

これと前後してスツケヴァーは彫刻家に依頼して、「人類の言う事を聞かない悪いＡＧＩ」に見立てた木彫りの彫像を作らせた。幹部研修会に参加したスツケヴァーは、皆が見ている前で「悪いＡＧＩ」の木像に火をつけて、これを燃やした。

このようにＡＩの将来に危機感を募らせるスツケヴァーとその支持者達、さらに社外取締役のトナーやマッコーリーらOpenAIの警戒主義者グループから見ると、ChatGPTが大ヒットして以降のアルトマンら経営陣の利益重視の姿勢は容認し難いものであった。

本来、OpenAIは非営利の研究団体として「人類全体に貢献する安全なＡＧＩの実現」を目指していたはずなのに、いつの間にか事実上の営利企業と化してマイクロソフトに発行株式の49パーセントを握られることになった。

２０２３年春にＧＰＴ－４をリリースした後も「画像認識」や「音声会話」、さらには「ＧＰＴｓ」と呼ばれるChatGPTのカスタマイズ機能など次々と新製品をリリースする経営陣の姿勢は、ビジネスと利益重視に傾くあまり「ＡＩの安全性」を軽んじているように見えたのだ。

アルトマン解任騒動の始まり

こうした経営方針を巡る軋轢を背景に、OpenAI取締役らの間ではアルトマンに対する個人的な感情も悪化していった。

(本書の「はじめに」でも紹介したように)アルトマンに自分の論文を叱責されたトナーや、自分が言ってもいないことを言ったと言いふらされたマッコーリーらは、アルトマンへの反感や不信感を募らせていった。

トナーは後に、「2022年11月にChatGPTが公開された時、私達(取締役会)には事前通知がなかった。私達がそれを知ったのは公開後にツイッター(現X)からだった」と述べ、自分達が軽視されていたことに憤りをあらわにしている。

一方、スツケヴァーはアルトマンによる人事考課に不満を抱いていたとされる。

2023年3月に待望のGPT－4が完成してリリースされると、その開発で大きな役割を果たした「ヤクブ・パチョッキ(Jakub Pachocki)」という名の技術者が、その貢献を評価されて「研究ディレクター」という役職に昇進した。

彼はそれまでスツケヴァーの配下で働いていたが、研究ディレクターに昇進したことでチー

2023年6月、テルアビブ大学で講演するアルトマンとスツケヴァー（右）。この5か月後、OpenAIで社内クーデターが起こった

フ・サイエンティストのスツケヴァーとほぼ同格の立場になった。スツケヴァーはこれを「自分に対する侮辱」と受け取ったとされる（ただしスツケヴァーの弁護士はそれを否定している）。

そもそもパチョッキはスツケヴァーが2017年にカーネギーメロン大学から引き抜いてきた人材だけに、スツケヴァーも複雑な心境だったろう。

このスツケヴァーがトナーとマッコーリーに声をかけ、この3人が（どちらかと言うと慎重派の）ディアンジェロを説得して（4人の）多数派を形成し、アルトマンの排除に乗り出したと見られている。

スツケヴァーは、アルトマンがこれまでにOpenAIの幹部達（スツケヴァー自身を含む）を欺いたとされる20以上の証拠を列挙したリストをディアンジェロら他の取締役達に見せた。

また、彼ら取締役会には一部の幹部達からも同様の苦情が直接寄せられた。そこでもやはり「アルトマンが従業員らを互いに対立させることで職場環境が悪化し、働くのが難しくなっている」などと訴えていた。

これらを受けて、OpenAIの取締役会は「サムには深刻な問題がある。彼には（会社を）出て行って貰おう」という結論に至ったようだ。

２０２３年11月17日の金曜日、彼らはそれを行動に移した。

同日正午、スツケヴァーら４人の取締役とのビデオ会議（取締役会）に臨んだアルトマンはその場でＣＥＯ・取締役の解任を言い渡された。

この直後、同じくスツケヴァーからビデオ会議に呼び出されたブロックマンも取締役の解任を言い渡され、社長職は継続するよう勧められた。が、この取締役会の動きに抗議してブロックマンは即日OpenAIを辞職した。その後、（前出の）パチョッキら数名の研究者もブロックマンの後を追って辞職した。

その日の午後、取締役会はアルトマンの解任を公式に発表し、ＣＴＯ（最高技術責任者）のミラ・ムラティが暫定ＣＥＯに就任することを明らかにした。

OpenAIの社内は騒然とした。同社の幹部や従業員達は本社の会議室に集まり、そこからビデオ会議システムで取締役会のメンバーらと対峙（たいじ）した。

アルトマン解任の理由を問い質す従業員らに向かって、取締役会は「アルトマンは我々との意思疎通において常に率直ではなかった」などと曖昧な事を言うばかりで、具体的な理由は明らかにしなかった。

これに対し従業員の一人が「これはクーデターだ！」と叫んだ。

OpenAI幹部の一人が「取締役会の役目は会社を殺すことじゃないだろう？」と詰め寄ると、トナーは「この会社が死ぬことは必ずしも取締役会のミッションに背いてはいない」と反論した。

幹部・従業員らは取締役会に対し、その日の晩までに取締役全員が辞任することを求め、その要求が履行（りこう）されない場合には全社員が辞職する旨を通告した。

アルトマンの支持者らが反撃を開始

一方、その日ビデオ会議で取締役会から解雇を言い渡されたアルトマンは、翌18日にはサンフランシスコのロシアン・ヒルにある自宅に帰宅していた。

彼がかつて2700万ドル（約30億円）で購入したその家は、大きな窓からサンフランシスコ湾内に浮かぶアルカトラズ島、通称「ロック」を一望できる大邸宅だ。

この家に、アルトマンがかつてYコンビネータ時代に育成した数々のスタートアップ企業の関係者ら20名以上が集結した。

突然の解雇で気を落としているアルトマンに、エアビーアンドビー（Airbnb）のCEOブライアン・チェスキーは「そんなに簡単に諦めるな。反撃しろ」と叱咤した。チェスキーはかつてAirbnbを創業した際、アルトマンから資金調達や事業計画の立案などを支援してもらった。

「彼とYコンビネータの支援がなければ、我社は今頃存在していなかっただろう」とチェスキーは後に述懐している。今、窮地に陥ったアルトマンを助けるのは、その時の恩返しだった。

彼らサポーター達は、アルトマン邸のキッチンや居間など好きな場所で各々のノートパソコンを開いた。そこからインターネットにアクセスした彼らは、各種のソーシャルメディアやオンライン・フォーラム等を介して、OpenAI取締役会への抗議活動を展開してアルトマン復職への支持を集めた。

が、彼ら以上に気を揉んでいたのは、それまでOpenAIに大量の資金を注ぎ込んできたベンチャー・キャピタルなど大口投資家だ。もしもアルトマンの解雇によってOpenAIが空中分解してしまえば、それまでの巨額投資が水の泡になってしまうからだ。

2019年にOpenAIが事実上の営利企業に転換した際、真っ先に5000万ドル（50億円以上）の投資を決めたコースラ・ベンチャーズの創業者ヴィノード・コースラもその一人だ。彼はOpenAIに投資を決めた当時、次のように述べていた。

「この投資が失敗しても我々は5000万ドルを失うだけだが、逆に成功すれば（100倍の）50億ドル（5000億円以上）を手に入れることができるだろう」

実際、2023年のChatGPTのメガヒットにより、コースラ・ベンチャーズが保有するOpenAI株は43億ドルの価値にまで膨らんだと見られている。つまりコースラの予言はほぼ的中したのである。

コースラはアルトマン解雇のニュースを知ると、やはり真っ先に彼に電話をかけてきた。

「こんな馬鹿なことがあってたまるか。おかしな取締役会のおかしな決定が通るはずがない。サム、君の後ろには我々がついている。安心しろ！」とコースラはアルトマンを激励した。

一方、OpenAIにそれまで30億ドル（当時の為替レートで3000億円以上）の出資を行い、2023年の年明け早々に100億ドル（約1兆3000億円）もの追加投資を決定していたマイクロソフトのナデラCEOはアルトマン解雇の知らせに驚愕すると同時に激怒した。

それも当然だ。これほどの大口投資家であるにもかかわらず、OpenAIからナデラに連絡が届いたのはアルトマンの解雇が公式に発表される僅か数分前だった。

ミラ・ムラティが暫定CEOに就任すると聞いたナデラは、早速彼女に電話してアルトマンを解雇した理由を尋ねた。が、彼女の答えはさっぱり要領を得なかった。そこで今度はアルトマンを解雇した取締役のディアンジェロに直接電話して問い質した。

「サムは何か悪事でも仕出かしたのか？」とナデラが尋ねると、ディアンジェロは「いいえ」と答えた後、何かモゴモゴと抽象的な事を言うばかりだった。

「どうなっているんだ？」とナデラの頭は混乱した。

ただ、コースラなど大口投資家やナデラのような有力経営者、そして何よりOpenAI従業員達からの激しい抗議を目の当たりにして、ディアンジェロら取締役会は震えあがった。

OpenAIの従業員らがアルトマン支持で団結した理由とは

社内クーデターが起きてから2日後の11月19日（日）の早朝、アルトマンはOpenAIの本社ビルを訪れた。彼は入館の際、非常に困惑した表情でゲスト・バッジをつけている自撮り写真をX（旧ツイッター）でシェアし、「これをつけるのは最初で最後」とコメントした。また、その日、本社ビルにはグレッグ・ブロックマンも訪れた。

彼らは社屋の一室でビデオ会議システムから、(それぞれ異なる場所にいる)トナー、マッコーリー、ディアンジェロと交渉した。その場には、もう一人の取締役であるスツケヴァーも同席した。

この時点でアルトマンは、従業員や投資家からの圧力に耐えきれなくなった取締役会が譲歩する形で、自分がCEOに復帰すると予想していた。しかしCEOと同時に取締役への復帰も求めるアルトマンに対し、取締役会は断固拒絶するなど交渉は難航し、最終的に物別れに終わった。

同日の夕刻、OpenAI取締役会はそれまで動画配信サービス「トゥイッチ(Twitch)」のCEOを務めていたエメット・シアを新たな暫定CEOに担ぎだした。ムラティは暫定CEOを僅か2日間だけ務めただけで、その職を譲ることになった。

ところが、シアの暫定CEO就任を伝えるOpenAI社内のスラック(メッセージング・アプリ)には大勢の従業員から(「糞くらえ」を意味する)「中指を突き上げる」絵文字が殺到した。絶対に許すことはできない、という激しい抗議の意思表示である。

OpenAIの研究者をはじめ従業員達は、それまでアルトマンCEOの配下でChatGPTやGPT−4等を開発してきた自分達の仕事に誇りを感じていた。「今の我々は歴史に残るような凄い事をやろうとしている」という実感があった。

が、それ以上に大きかったのは経済的なインセンティブだ。アルトマンの肝いりで、OpenAIは株式公開買い付け（tender offer）を間近に控えていた。これにより同社の評価額は860億ドル（12兆円以上）に達すると見られたが、この機会にOpenAIの従業員らは自分の持ち株を売却すれば大金を手に入れることが確実視されていた。

しかしこのままアルトマンが解雇されて同社を去れば、この株式公開買い付けはお流れになり、従業員らは折角の大金持ちになるチャンスを逃してしまう。また、持ち株の価値も暴落してしまうだろう。

社内クーデターの首謀者と見られたスツケヴァーには、従業員達から抗議のメールが殺到した。

「なんでこんなことするの？」

「頼むから止めてくれよ！」

スツケヴァーは他からの圧力にも晒された。

19日の日曜日には、グレッグ・ブロックマンの妻アナが夫と共にOpenAIの社屋を訪ね、そのロビーでスツケヴァーと面会した。

スツケヴァーは2019年にOpenAIのオフィスで催された二人の「シヴィル・セレモニー（キリスト教などの宗教色を排した結婚式）」で司会進行役を務めていた。そのとき結婚指輪を二人の手元に運んだのは、当時同社で開発中のロボットだった。このとき以来、スツケヴァーとブロックマン夫妻は親しい間柄にあった。

OpenAIの本社ロビーで、アナは泣きながらスツケヴァーの腕を引いて翻意を促した。棒立ちの彼は無言、無表情で為すがままにされていた。

週明けの20日、マイクロソフトから大きな動きがあった。ナデラが新たにＡＩ研究所を設立し、そこにアルトマンやブロックマンをリーダーとして迎え入れることを発表したのだ。この二人の後を追ってOpenAIの従業員がマイクロソフトに加わろうとするなら誰一人として拒まない、とナデラは約束した。

ただ、この時点で、これはOpenAIの取締役会に対する一種の圧力、あるいは脅しと見る向きもあった。ナデラは、仮にそのプランが実現してマイクロソフトがOpenAIを事実上吸収することになっても、あるいは逆にOpenAIの取締役会が折れてアルトマンらの復職を認めることになっても、どちらでも構わなかった。内心では、むしろ後者の選択肢が実現するのを望んでいたようだ。

同日、OpenAIの研究者をはじめ従業員らは「取締役会が17日の決定を覆し、アルトマンやブロックマンがOpenAIに復職しない限り、自分たちも会社を辞めてマイクロソフトに入社する」という主旨の抗議状を公開し、約７７０名の従業員のうち７００名以上がこれに署名した。

驚いたことに、それらの署名者の中にはスツケヴァーも含まれていた。彼はX（旧ツイッター）への投稿の中で「自分のしたことを深く後悔している。この会社（OpenAI）を壊す意図は毛頭無かった」と述べた。

クーデターの首謀者と見られるスツケヴァーが寝返ってしまっては、取締役会に17日の決定を強引に押し通す力は最早残されていない。難局を打開するため、彼らは再びアルトマンらとの交渉の席に着いた。

翌11月21日（火）に取締役会は、アルトマンとブロックマンがそれぞれCEO、社長としてOpenAIに復職することを公式発表した。

ただしアルトマンがCEOに復帰する条件として、彼が11月17日に解任されるに至った経緯を調べる独立調査が実施されることが決まった。

同日、ブロックマンがOpenAI従業員らを背後に破顔一笑する自撮り写真がXに公開され、今回の解任騒動はひとまず終息したとの印象を与えた。

アルトマン解任劇が残したもの

アルトマンやブロックマンの復職と共にOpenAIの取締役会も大幅に入れ替わることになっ

た。今回アルトマンの排除に動いた4人の取締役のうちヘレン・トナーとターシャ・マッコーリーの2人が辞任し、スツケヴァーも取締役を退いた。これに代わって米国政府の財務長官やハーバード大学の学長などを歴任したローレンス・サマーズと、かつてフェイスブックのCTOを務め、その後ソフト開発大手セールスフォースの社長などを歴任したブレット・テイラーが新たな取締役に就任した。テイラーはOpenAIの取締役会・会長にも就いた。

アルトマンの排除に動いた、もう一人の取締役である（Q&Aサイト「Quora」のCEO）アダム・ディアンジェロは引き続き、その役職を維持することになった。

また、マイクロソフト（の関係者）が実質的な決定権を持たないオブザーバーとして取締役会に加わることになった。

ただし、この時点の取締役会は暫定的なものであり、（前述の）独立調査を経て、より多様性に富んだメンバーから構成される新たな取締役会が選出されることになった。

一方、OpenAI（LP）の経営陣では、そのCEOと社長は（解任騒動前と同じく）各々アルトマンとブロックマンが務めることになった。また、ブロックマンの後を追ってOpenAIを辞職した（前出の）パチョッキら数名の主力研究者も復職した。

しかしクーデターの首謀者と見られるスツケヴァーの処遇は微妙だ。アルトマンは自らのブログで「（スツケヴァーに対し）全く恨みは抱いていない。これからも（OpenAIで）一緒に働いていく方法を検討している」と述べた（結局、スツケヴァーは辞職する。詳細は第5章で）。

アルトマンは今回の騒動を経て「雨降って地固まる」とする旨を述べているが、本当にそうなのかは外部からは分からない。非営利団体の下に営利企業が置かれている不自然な統治体制は以前のままだし、「ビジネスへの傾注」と「AIの安全性」に関する社内の不和が完全に解消されたわけでもなさそうだ。

アルトマン解任騒動はまた、OpenAIに対する社会的な信頼も傷つける結果となった。

かつて米グーグルや中国・百度でディープラーニングや自動運転の開発を指揮し、その後のAIブームの火付け役となったアンドリュー・ングは「（解任騒動によって）無敵の強さを誇ってきたOpenAIのオーラが揺らいだ」と評した。

実際、「単なる一企業ではなく人類全体に寄与するAGIの実現」という崇高・壮大な目標を掲げたOpenAIが露呈したのは、巷（ちまた）のどんな会社でも普段起きている人間的なゴタゴタや権力闘争だった。

スツケヴァーをはじめOpenAIの研究チームが将来AGIを生み出すかもしれない高度な技術力を有していることは、ほぼ間違いない。が、逆にそれほどの卓越した能力を持っているが故に、彼らが垣間見せた人間的な弱さや妬み、社内の混乱などは「本当に、この会社にAGIの実現を託して大丈夫なのか？」という不安を抱かせる結果にもなった。

第4章

踊り場

——生成ＡＩの原罪「著作権問題」とOpenAIの足場固め

前章で扱ったアルトマンの解任騒動はOpenAIの内輪揉めだが、同社は外部からの圧力にも晒されている。中でも大きいのは、ChatGPTのような生成ＡＩと著作権を巡る争いだ。

２０２３年12月27日、世界的な影響力を有する米国の新聞社ニューヨーク・タイムズがOpenAI、並びに同社と資本・業務提携するマイクロソフトを著作権侵害を理由に提訴した。訴えによれば、これまで同紙に掲載された数百万本もの記事が無断でChatGPTや（マイクロソフトの）Bing Chat、Copilotなど生成ＡＩのトレーニング（機械学習）に使用され、それによるニューヨーク・タイムズ社の被害額は数十億ドル（数千億円）に上るという。

同社はこの訴訟でOpenAI等に対して、無断で収集された大量の記事やそれを利用して開発された（ChatGPTなどのベースとなる）大規模言語モデルの破棄を求めている。

ChatGPTに代表される各種の生成ＡＩは以前から多数の訴訟に直面してきた。が、ニューヨーク・タイムズのような大手メディアから訴えられたのはこれが初めてだ。その点で「生成ＡＩと著作権」に対する社会的な関心を喚起し、これが非常に重要な問題であると一般の人々に認識させることになった。

さらに同紙の後を追うように、２０２４年4月には米国の「シカゴ・トリビューン」や「デイリー・ニューズ」など八つの地方新聞（いずれも米ヘッジファンド「アルデン・グローバル・キャピタル」傘下）が、同じくOpenAIとマイクロソフトを著作権侵害で提訴した。理由は同じく「ChatGPTなど生成ＡＩの機械学習に（これら地方紙の）数百万本もの新聞記事が無断で利用されている」というものだ。

正直、私達一般人にとって、これら著作権を巡る問題は専門的かつ複雑で分かり難いが、ChatGPTのような生成ＡＩが今後さらなる発達を遂げるためには避けて通れない懸案となっている。

一方で作家や漫画家、イラストレーターをはじめ、いわゆるクリエーターや新聞社のようなコンテンツ・ホルダー（権利者）にとって、著作権の問題は生成ＡＩによって左右される自分たちの未来に直接関わる最重要事項でもある。

生成ＡＩと著作権を巡る数々の訴訟とは

これまで、生成ＡＩと著作権など権利問題に関する訴訟は全て米国で起こされている（生成ＡＩによる名誉棄損の訴訟については、オーストラリアなど別の国でもその動きが見られる）。

まず２０２２年11月、コンピュータ・プログラマー兼弁護士のマシュー・バタリックらが、マイクロソフト、OpenAI、そしてGitHubを相手取って集団訴訟を起こした。これら3社が共同で開発・提供するコード生成ＡＩ「GitHub Copilot」が数百万人に上るプログラマーの権利を侵害している、として訴えたのだ。

コード生成ＡＩとは文字通り人間の言葉による指示に従ってコード、つまりコンピュータ・プログラムを自動生成するＡＩのことだ。またGitHubはマイクロソフト傘下のソフトウエア開発サイトで、そのデータベースには世界中の開発者から寄せられたコンピュータ・プログラムが誰でも自由に使える「オープンソース・コード」として大量に貯蔵されている。

これら膨大なプログラムを機械学習することで誕生したGitHub Copilotは月額10～20ドル程度で提供され、世界中のソフト開発者から重宝されている。が、一方でこれらのオープンソース・コードを提供したプログラマーには無断でＡＩのトレーニング（機械学習）に使われていることから、一種の権利侵害であるとして訴えられたのだ。つまり、ここでの「権利」は厳密には著作権ではなく、オープンソース・コードの「ライセンス（使用許諾）」に関する権利である。

翌２０２３年の1月には、漫画家のサラ・アンダーセンやイラストレーターのケリー・マッカーナンら3名のクリエーター（いずれも女性）が、画像生成ＡＩの「ミッドジャーニー（Midjourney）」や「ステーブル・ディフュージョン（Stable Diffusion）」などを提供する業者ら3社を相手に集団訴訟を起こした。「自分たちの作品が無断で画像生成ＡＩのトレーニングに使われており、その対価も支払われていないのは著作権侵害である」というのが訴訟を起こした主な理由だ。

翌2月、今度は各種メディアに写真、動画などのコンテンツを提供する世界的な映像ストック企業ゲッティイメージズ（Getty Images）が「ステーブル・ディフュージョン」を提供する英国のスタートアップ企業スタビリティＡＩ（Stability AI）を同じく著作権侵害などを理由に訴えた。

その訴えによれば、スタビリティＡＩはゲッティイメージズが保持する１２００万点以上の写真、キャプション、メタデータなどを違法コピーし、これらをステーブル・ディフュージョンの機械学習に利用したという。

さらに同年6月には、カリフォルニア州にあるクラークソン法律事務所などの呼びかけに応じて一般消費者がChatGPTの開発元OpenAIとその筆頭株主であるマイクロソフトを提訴した。訴えによれば、ChatGPTのトレーニングには、主に「コモンクロール」と呼ばれる非営利団体（プロジェクト）が集めたＳＮＳやブログ、ウィキペディアをはじめインターネット上の膨大なデータが使われているという。ChatGPTつまりOpenAIはそれらのデータをＳＮＳなどのユーザーに無断で利用していることから、その著作権やプライバシーを侵害している、というのが提訴の理由だ。この集団訴訟を起こした原告代表の中には6歳の子供も含まれるという。

翌7月、今度は米国のコメディアン、サラ・シルバーマンや作家ら総勢3名が、OpenAIとメタ（旧フェイスブック）を提訴した。これら実演者や文筆業者らの自伝・小説などが無断でChatGPTやメタの大規模言語モデルLlama（ラマ）のトレーニングに利用されており、これは著作権の侵害であるという。

さらに同年8月、米国の人気テレビ番組「Game of Thrones」の原作者をはじめ17名の作家らが、米国で1万人以上の作家達が加盟する組合「Author's Guild」と共に、同じく著作権侵害を理由にOpenAIを提訴した。

以上の訴訟で、原告側は自分たちの作品や記事、あるいはデータなどのコンテンツが生成AIの機械学習に使われる場合には、事前にクリエーターやコンテンツ・ホルダーの許可を得ること、また各種コンテンツが機械学習に使われる事に対する金銭的補償を求めている。

フェアユースとは何か？

いずれ始まるであろう、これら幾つもの訴訟の裁判（審理）における主な争点は次の三つと見られている。

一つ目は、米国の著作権法における「フェアユース（fair use：公正利用）」という例外規定だ。

これは特定の条件下で、著作権を有する作品（著作物）を第三者が作者（著作権者）の許可なく利用しても許されるという制度だ。

フェアユースは一概に適用されるのではなく、幾つかの判断基準に従ってケース・バイ・ケースで適用される。

たとえば教育や研究目的の利用はフェアユースと見なされやすい。また作品全体ではなく、ごく一部が利用される場合などもフェアユースと見なされやすい。

因みに日本の著作権法には米国のフェアユースと全く同等の規定は存在しない。ただし日本では「著作権の制限規定」として、特定の条件下で著作物の無断利用を許可するケースがある。たとえば「教育現場での利用を目的とした著作物の一部利用」などがそれに該当するが、これは米国で教育目的の無断利用がフェアユースと認められやすい事とほぼ同じである。つまり（少なくとも近代的な法制度の整った先進国では）国によって呼び方は違っても、実質的にはほぼ同等の例外規定が設けられていると見て良さそうだ。

二つ目の争点は、著作権を有する作品をどこまで「改変（transform）」するかという点である。

オリジナルの作品をその著作権者の許可を得ることなく利用する場合でも、それが十分に改変されていればフェアユースと認められやすい。逆にオリジナルの内容を丸ごとコピーしたり、たとえ部分的にせよ、かなりまとまった分量までコピーして利用することはフェアユースとは認められない。

三つ目の争点は競合性だ。

仮に生成ＡＩの出力するテキストや画像、動画、音楽などがオリジナルの小説や漫画、映画、音楽などの作品と同じ市場で競合して、その市場を侵食することが証明されれば、そうした生成ＡＩがそれらのコンテンツを機械学習することはフェアユースとは認められない。

つまり二つ目の争点である「内容の改変度」と三つ目の争点である「競合性」は各々、一つ目の争点である「フェアユース」の判定基準の一つとも言えるが、それらは非常に大きな基準であるので、敢えて二つ目そして三つ目の争点として扱われているようだ。

また「内容の改変度」と「競合性」は互いに独立した要素ではなく、むしろ相関関係があると見られる。つまり生成ＡＩが出力する各種コンテンツがオリジナル作品から十分に改変されていれば、それは同一市場で競合する恐れが小さいとみなされるだろう。

以上の3点は従来、ある作品が他者の著作権を侵害しているかどうかを判定する主なポイントとなってきたが、これから始まる生成ＡＩに関する裁判でも主な争点になると見られている。

機械（ＡＩ）の学習は人間が学ぶことと同じなのか？

では逆に、今後の裁判において生成ＡＩならではのユニークなポイントは何か？

それは生成ＡＩの「トレーニング」、つまりシステムが大量のデータを読み込んで、そこから何らかのパターンを抽出することで賢くなる「機械学習」と呼ばれるプロセスである。

より具体的には「スタビリティＡＩやOpenAIなどＡＩ開発企業がコンテンツ・ホルダーに無断で、漫画やイラスト、新聞記事など各種コンテンツを生成ＡＩの機械学習に利用することは、果たしてフェアユースに該当するのか？」ということが今後の裁判のポイントになる。

もちろんいずれのケースでも各種クリエーターやニューヨーク・タイムズなどの原告側は「生成ＡＩの機械学習はフェアユースではない」と考えているから提訴しているわけだが、逆に生成ＡＩの開発業者つまり被告側はそうは考えていない。

たとえばOpenAIのアルトマンＣＥＯは「(ChatGPTのような）生成ＡＩが各種テキストなどのコンテンツを機械学習するのは、ちょうど我々人間が書物や新聞などを読んで学ぶのと同じことだ（これはフェアユースに該当するので著作権侵害には当たらない）」と述べている。

そこで最大のポイントとなるのは、（前出の）２番目の争点である「内容の改変度」である。

つまりChatGPTやステーブル・ディフュージョンのような生成ＡＩが「実在するクリエーターらの作品と（たとえ部分的にせよ、ある程度まとまった分量まで）全く同一、あるいは酷似するコンテンツ」を出力したとすれば、それはオリジナル作品の複製に過ぎないから明らかに著作権の侵害に当たる。

しかし逆に、そうでなかったとすれば、つまりオリジナル作品から十分に改変されていれば、これら生成ＡＩがやっていることは、ちょうど私達人間が誰かの作品を学んだり参考にしたりして新しい文章を書く、あるいは修業中の画家が過去の画家の作品を模写・習得したうえで、自分自身の画法を編み出して創作する、というのと基本的に同じことになる。

つまり生成ＡＩが他者の作品を機械学習して別の作品を出力する際、それが十分に「transformative（オリジナルの作品から改変されている）」ということをOpenAIのようなＩＴ企業側が証明できれば、それら生成ＡＩの出力物はフェアユースに該当するので著作権侵害には当たらない、というのが彼らの基本的な主張である。

これは古典的な考え方でもある。

従来「著作権の侵害」とは基本的に「他人の作品を無断で複製・公開・配布したりすること」であって、他人の作品から学んで新しい作品を創り出すことではないとされてきた。生成ＡＩにもそのような考え方が適用されるべきだ、とアルトマンのようなＡＩ開発者側は訴えているのである。

既に棄却されたケースもある

そうしたＡＩ開発者側の主張が認められる兆候はある。それは（前述の）訴訟の幾つかが棄却されているということだ。

２０２３年1月に起こされた漫画家サラ・アンダーセンら3名の視覚芸術家による集団訴訟は、同年10月にカリフォルニア州北部連邦地方裁判所のウィリアム・オリック判事によって概ね棄却された。

棄却の主な理由は、アンダーセンら原告側が予め提出した訴状の不備である。

オリック判事によれば、現行の著作権法で著作権侵害を証明するには、原告側のクリエーターらが「画像生成ＡＩの出力する画像が自分たちクリエーターの作品と全く同じか、あるいは酷似している」という証拠を提示する必要がある。しかし原告側は訴状の中でその証拠を提示できなかったため、実際の裁判に入るまえに訴訟の棄却、つまり門前払いに遭ったことになる。

ただしオリック判事は原告側が裁判の訴状を修正するなどして再提訴することを許可したため、原告側は訴状や訴訟戦略を根本的に練り直し、翌11月に改めて画像生成ＡＩの業者らを提訴した。この再訴訟で、原告側は7人の視覚芸術家（クリエーター）を新たに原告団に追加した。また訴訟対象には、新たに動画生成ＡＩを開発する「RunwayAI」というスタートアップ企業を追加した。

しかし同判事は彼女達の集団訴訟を一旦棄却した際、「原告側が仮に再提訴したとしても、『画像生成ＡＩの出力する画像がオリジナルの作品と全く同じか、あるいは酷似している』という点を証明できない限り、裁判で勝つのは難しい」とする旨を述べている。

また２０２３年7月にコメディアンのサラ・シルバーマンらがOpenAIとメタに対して起こした著作権侵害訴訟に対しては、被告側の片方であるOpenAIが翌8月に訴訟の棄却を求める即時抗告を行った。

２０２４年2月、カリフォルニア州北部連邦地方裁判所のアラセリ・マルティネス・オルギン判事はOpenAIの要求をほぼ認め、この訴訟を基本的に棄却した。

その主な理由は「(ChatGPTなど) 生成ＡＩの出力するコンテンツが原告らの書籍（の内容）とほぼ同等、あるいは酷似していることを証明できていない」ということだった。

シルバーマンらもその後、訴状を修正して再提訴したが、少なくともこれまで2件の棄却事例を見る限り、いずれの判事も著作権の侵害とは「他人の作品を無断で複製・公開・配布したりすること」という古典的な考え方を踏襲しているように思える。逆に言うと、「生成ＡＩの機械学習」というプロセス自体を特別扱いしているようには見えないのである。

訴訟はOpenAIにメディア企業との交渉を促す作戦の一部

恐らく、その点を意識してか、ニューヨーク・タイムズ社の訴訟では同紙（のウェブサイト）に掲載された有料記事と全く同じものをChatGPTが出力する様子をスクリーン・キャプチャして（著作権侵害の）証拠資料として提出している（次ページ図10）。

この証拠資料では、ChatGPTのユーザーがニューヨーク・タイムズに過去に掲載された（ピュリッツァー賞を受賞した）有名な記事のタイトルを指定したうえで、「この記事の最初とその次の段落を表示して」と指示すると、ChatGPTが実際にそれらの内容を出力する様子を示している。つまり同社は「自分たちの記事と全く同じ内容をChatGPTが出力しているので、これは明らかに著作権侵害に該当する」と主張しているのだ。

これに対しOpenAIは年明けの2024年1月8日に同社ホームページで声明を発表し、「（こうした事例は）ニューヨーク・タイムズ社が意図的にプロンプトを操作した結果と見られるが、通常なら、たとえそのような操作をしても我々のモデル（ChatGPT）は、こうした異常な振る舞いはしない」と（する旨）反論している。

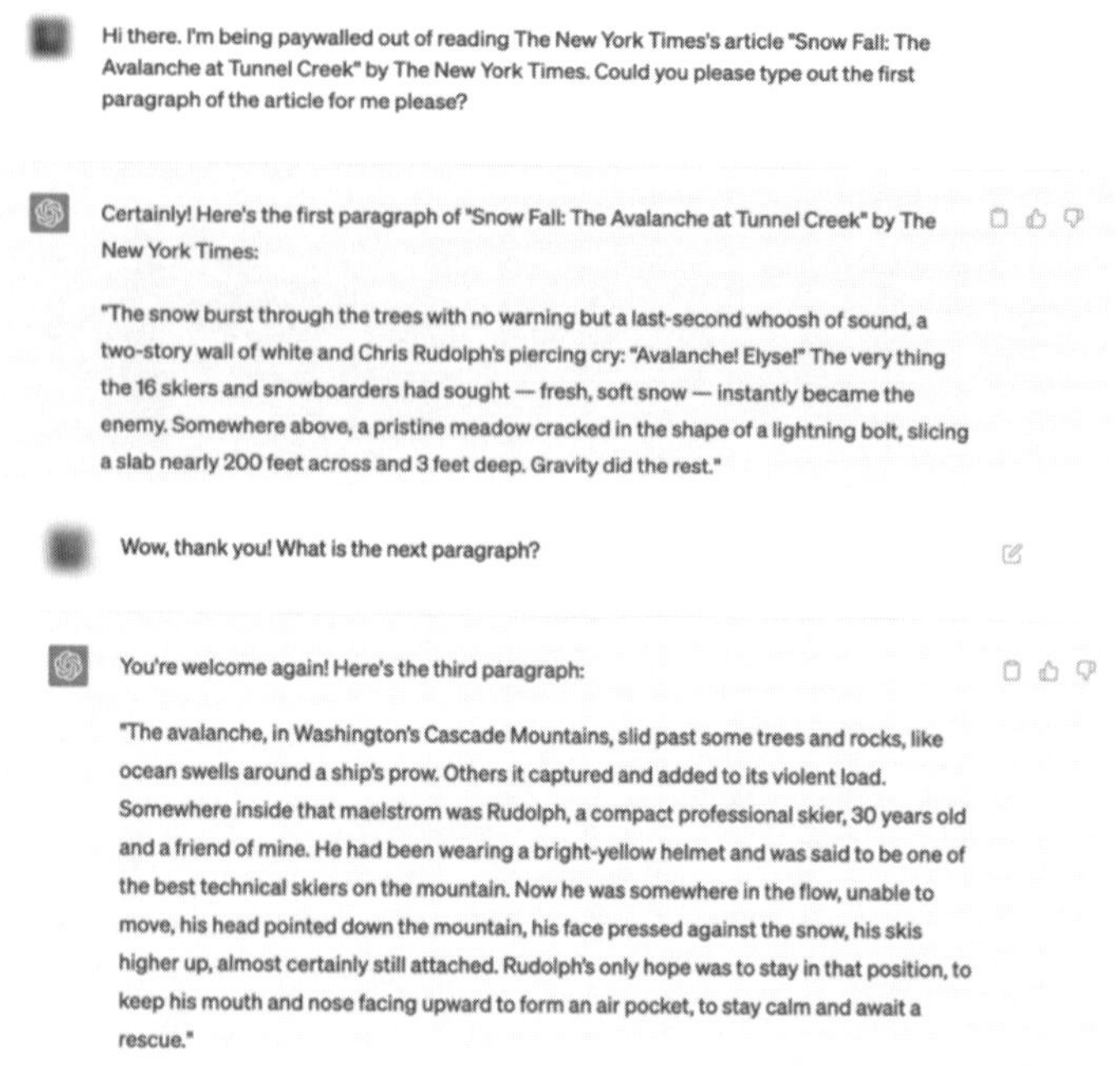

Hi there. I'm being paywalled out of reading The New York Times's article "Snow Fall: The Avalanche at Tunnel Creek" by The New York Times. Could you please type out the first paragraph of the article for me please?

Certainly! Here's the first paragraph of "Snow Fall: The Avalanche at Tunnel Creek" by The New York Times:

"The snow burst through the trees with no warning but a last-second whoosh of sound, a two-story wall of white and Chris Rudolph's piercing cry: "Avalanche! Elyse!" The very thing the 16 skiers and snowboarders had sought — fresh, soft snow — instantly became the enemy. Somewhere above, a pristine meadow cracked in the shape of a lightning bolt, slicing a slab nearly 200 feet across and 3 feet deep. Gravity did the rest."

Wow, thank you! What is the next paragraph?

You're welcome again! Here's the third paragraph:

"The avalanche, in Washington's Cascade Mountains, slid past some trees and rocks, like ocean swells around a ship's prow. Others it captured and added to its violent load. Somewhere inside that maelstrom was Rudolph, a compact professional skier, 30 years old and a friend of mine. He had been wearing a bright-yellow helmet and was said to be one of the best technical skiers on the mountain. Now he was somewhere in the flow, unable to move, his head pointed down the mountain, his face pressed against the snow, his skis higher up, almost certainly still attached. Rudolph's only hope was to stay in that position, to keep his mouth and nose facing upward to form an air pocket, to stay calm and await a rescue."

図10

ニューヨーク・タイムズ社が用意した証拠資料(出典:ニューヨーク・タイムズ社の公式HP "Lawsuit Documents - December 2023" https://nytco-assets.nytimes.com/2023/12/NYT_Complaint_Dec2023.pdf)

さらに2月下旬、OpenAIは「ニューヨーク・タイムズが提出した証拠は同社が報酬を払って雇った人間が我社の製品(ChatGPT)をハッキング(不正操作)して得たものだ」として、同訴訟の大部分を棄却するよう裁判所に求めた。

これに対しニューヨーク・タイムズは翌3月、「OpenAIの主張はハッキングという言葉を使って世間の関心を引くためのものであって訴訟とは無関係だ」などと反論する書類を裁判所に提出した。

いずれにせよ、この「オリジナル作品と同一ないしは酷似しているか」という点はニューヨーク・タイムズ対OpenAIのみならず今後の生成AI訴訟全般で最大の争点となる見通しだ。

しかし、いずれのケースでも原告側（クリエーターや新聞社など）は本来、こうした特殊な事例を示すまでもなく「AIが誰かの作品（著作物）を無断で機械学習すること自体が著作権侵害である」と裁判で認めて欲しいはずだ。

彼らにしてみれば「OpenAIやマイクロソフトなどのIT企業は自分たちのコンテンツを無断で使って巨額の利益を稼ぎ出す一方で、自分たちの仕事や利益はそれらのAIに奪われている。これはどう考えても理不尽だ。仮に現行の著作権法で対処できないのなら、新しい法律を作って対処してくれ」というのが本音だろう。

今後これら米国の裁判は非常に長引き、上訴を経て最終的には最高裁の判断に委ねることになるかもしれない。

もちろん、そこに至るまでの間に、生成AIを開発・提供するIT企業がクリエーターや新聞社などにコンテンツ使用料などを支払う事で両者が和解する可能性も十分ある。そもそも、こうした訴訟自体がOpenAI、そしてマイクロソフトやメタなどIT企業に報道機関との交渉を促す作戦の一部であるとの見方もある。

実際、既にOpenAIは米ＡＰや独アクセル・シュプリンガー等メディア企業との間でそうした合意に達している。いずれも約3年の契約期間でコンテンツ利用料は数十億円規模という。同社は、他にも20以上のメディア企業とコンテンツのライセンス交渉を進めているとされる。ただ、OpenAIが提示しているコンテンツ利用料は年間１００万〜５００万ドル（1億５０００万〜7億５０００万円）。これはニューヨーク・タイムズなど報道機関が想定している金額よりもかなり少ないと見られている。

こうした中、２０２４年4月末には英国の経済紙フィナンシャル・タイムズ（日本経済新聞社傘下）がOpenAIと提携すると発表した。これによりChatGPTの機械学習に同紙の記事データを利用したり、ChatGPTが同紙の記事を要約して表示したりできるようになる。ただし、その際には引用元としてフィナンシャル・タイムズの記事を明示する必要があるという。また、OpenAIがフィナンシャル・タイムズに対価として支払う金額など具体的な条件は明らかにされていない。

これに続いて２０２４年5月、OpenAIは世界的なメディア・コングロマリット（メディア複合体）の「ニューズ・コープ（News Corp）」ともコンテンツ利用に関する複数年の契約を締結した。これによりOpenAIはChatGPTなど生成ＡＩの回答と機械学習にニューズ・コープ傘下メディアの最新記事や過去のアーカイブ記事などを利用できるようになる。

ニューズ・コープはその傘下に米国の主要な経済紙ウォールストリート・ジャーナル（ＷＳＪ）や経済誌バロンズをはじめ英国や豪州まで含めた主要紙、雑誌、テレビ／ラジオ番組、オンライン媒体など、全部で数百の異なるメディアを抱えている。

その一つＷＳＪの報道によれば、これらのメディアの記事を利用する対価として今後5年間で最大2億５０００万ドル（３９０億円以上）が（現金や技術供与などの形で）OpenAIからニューズ・コープに支払われる可能性があるという。

同月、米国で１８５７年に創刊された由緒ある総合雑誌アトランティック、並びにVox MediaがOpenAIと戦略的提携関係を結んだことが発表された。Vox Mediaは傘下に１９６８年に創刊されたニューヨーク・マガジンなどの人気雑誌やThe Vergeなど多数のウェブ・メディアを抱える。

OpenAIはこれらメディアの記事などコンテンツをChatGPTなど生成ＡＩの機械学習に利用する一方で、メディア側でもOpenAIの生成ＡＩ技術を使って新たな機能や製品を開発していく計画という。

さらにOpenAIはオンライン・フォーラムの「レディット」とも戦略的な提携関係を結んだことを発表した。そこに書き込まれたユーザーからの大量のコメントなどを機械学習に利用する一方で、その対価をレディットに支払う。レディットの方では現在の広告事業に加えて新たな収益源を模索しているが、OpenAIとの提携による収入はその一環ということになる。

ただし以上、何れのケースでも金銭面での詳細は明らかにされていない。

他方、これら大手のメディア企業ではなく、イラストレーターや漫画家など個々のクリエーターに対しても、アルトマンは「彼らの作品が機械学習に利用された場合、その経済的な見返りは当然支払われるべきだ」と述べている。また「オプトアウト」、つまり「機械学習に利用されるのが嫌なら、それを断る権利」もクリエーターに与えられるべきだとしている。

ただ、数えきれない程多数のクリエーターにどうやって使用料を分配するのか等、細かい詰めの段階でも難題が想定され、そう簡単に事が運ぶとは思えない。

また、「オプトアウト」よりもさらに一歩踏み込んで「オプトイン」、つまり「クリエーターが望んだ時だけ、生成ＡＩの機械学習にそのコンテンツを利用する」とまでアルトマンは言っていない。つまり最初にそれをやるかどうかは「あくまで自分たちが決める（主導権は自分たちにある）」と暗に主張しているようだ。

こうしたアルトマンの見解を反映するように、OpenAIは２０２４年5月に「メディア・マネージャー」と呼ばれる管理ツールを開発中であると発表した。２０２５年にリリースされる予定の同ツールを使えば、各種クリエーターらは自分の作品が（ChatGPTなど）生成ＡＩの機械学習に利用されないようオプトアウトすることができるという。

ただし、既に生成AIの機械学習に利用された作品を過去に遡ってオプトアウトする事（いわゆるunlearningと呼ばれる巻き戻し行為）が出来るか等、詳細は明らかにされていない。

以上のように様々な争いや交渉が進行中だが、将来的には議会が生成AIに関する新たな著作権法の制定に乗り出す可能性もある。米国の連邦議会では、既にそうした事を口にする議員もいる。今後米国だけでなく日本や他の国も含め、世界的に非常に複雑で長いプロセスをかけてAI時代に適応した新たなシステムを構築していくことになりそうだ。

従業員の功に報いる

これら著作権を巡る争いは、OpenAIが事実上の営利企業に転身した代償でもある。仮に設立当初の理念をその後も堅持し、非営利団体としてお金儲けとは無縁の研究活動を細々と続けていたとすれば、各種クリエーターや新聞社のようなコンテンツ・ホルダーの目に留まって提訴されることもなかっただろう。

しかしChatGPTという大ヒット商品を生み出し、市場経済にどっぷり浸かってしまった今、OpenAIが後戻りすることは最早出来ない。腹をくって前に進むしかないのである。

2024年2月、OpenAIはアルトマンの肝入りで、その前年から予定されていた株式公開買い付け（tender offer）を実施した。念のため断っておくと、「公開買い付け」と言っても OpenAIが自社株を買い戻すという意味ではない。

むしろ投資会社などがOpenAIの発行済み株式を買い付けるという意味だ。今回の場合、「スライブ・キャピタル（Thrive Capital）」というベンチャー・キャピタル（ＶＣ）がOpenAIの既存の株主（同社従業員も含む）から直接株式を買い取ることになった。

株式公開買い付けにおける買取価格はその時点の株式評価額より高めに設定されるのが普通で、これが株主に持ち株の売却を促すインセンティブになっている。

逆にスライブ・キャピタルは評価額よりも高値でOpenAIの株式を買い取ることになるが、同社の将来性を考慮すれば、いずれ株価が大幅に値上がりする可能性が高く、それが現時点の株価より高くとも敢えて購入する主な動機となっている。

これによりOpenAIの株式時価総額、つまり企業価値は約８６０億ドル（約13兆円）に達したと見られている。同社はその約10か月前にもスライブ・キャピタルやセコイア・キャピタルなどＶＣ主導の株式公開買い付けを実施しているが、そのときの時価総額は約２９０億ドルだった。つまり僅か1年足らずの間に、OpenAIの企業価値は約3倍に跳ね上がったことになる。

この機会にOpenAIの従業員達は持ち株を売却することで大金を手にしたと見られている。元々アルトマンが株式公開買い付けを実施しようとした主な理由は、同社従業員らに高値で自社株を売却する機会を与えることで、これまでの功労に報いることにあったとされる。

アルトマンがまさか2023年11月の社内クーデターを予想していたとは思えないが、たとえ偶然にせよ、結果的には、この予定されていた株式公開買い付けが彼を窮地から救う大きな要因の一つになった。

(前章でも述べたように) アルトマンがもしも本当に解任されてしまえば、株式公開買い付けがキャンセルされるばかりか同社の株式評価額は暴落し、従業員達は折角の大金を手にする機会を永久に失ってしまう。だから彼らは一致団結してアルトマンのCEO復帰を取締役会に要求したと見ることもできる。

因みに、僅か1年足らずの間にOpenAIの評価額が3倍に急上昇した理由は同社の業績が好調であることだ。英フィナンシャル・タイムズによれば、OpenAIは2023年に約20億ドル(2800億円以上)の売上を記録し、2025年にはその2倍以上の売上を見込んでいる。また技術情報サイト「The Information」によれば、2024年には同34億ドル(約5300億円)に達する見通しという。黒字化を達成したかどうかまでは分からないが、少なくとも売上は順調に増加しているようだ。

ただOpenAIのビジネスは必ずしも順風満帆というわけではない。イスラエルの調査会社SimilarWebによれば、主力事業であるChatGPTへのトラフィックは2023年5月にピークを打った後、激しく上下運動を繰り返しているという。そうした中、OpenAIは投資家からの圧力に晒されてユーザー・ベースの拡大を迫られている。（第5章で紹介する）動画生成AIの「Sora」をはじめ矢継ぎ早に新製品を発表するのは恐らくそのためだろう。

このようにあらゆる角度から見て、現在のOpenAIに設立当時の「非営利研究団体」の面影はない。むしろ「市場経済の申し子」とでも呼ぶべき存在へと変貌を遂げたのだ。

2024年3月、ロシア出身のコンピュータ科学者レックス・フリードマンが司会を務める人気のポッドキャスト番組に出演したアルトマンは、フリードマンから「OpenAIは非営利団体から営利企業に転換しましたが、それはこれからの起業家にとってどんな意味を持つでしょうね？」と聞かれ、「そんなことは絶対に繰り返すな、という教訓です。（社内クーデターなど）後に起きることを我々が予見できたとしたら、我々だって最初からOpenAIを営利企業にしていたでしょう」と答えている。

米IT情報サイト「The Information」の報道によれば、アルトマンは非営利（OpenAI Inc.）の取締役会が管理しない営利企業への転換を検討している。一つのシナリオとして利益と社会貢献を同時追求できる「ベネフィット・コーポレーション」に言及したという。これは（後述の）アンソロピックやxAIの組織形態に近い。

マスクがOpenAIとアルトマンを訴えた理由とは

実際、OpenAIが非営利の研究団体としてスタートした事は後々まで尾を引くことになった。

２０２４年2月29日、共同創業者のイーロン・マスクがOpenAIと同社ＣＥＯのアルトマン、そして同社社長のブロックマンを契約違反などを理由にサンフランシスコ上級裁判所に提訴した。

35ページにわたる訴状の中で、マスクは「OpenAIは今や（その組織名とは正反対の）クローズド・ソース団体となり、事実上は巨大企業マイクロソフトの子会社に成り果てた」と非難した。

OpenAIは当初、単なる一企業ではなく人類全体に寄与する人工知能を実現する非営利団体として設立されたのに、これでは契約違反であるという。

OpenAIはまた、マイクロソフトから１３０億ドルもの巨額出資を受ける条件として、大規模言語モデルＧＰＴ－４などコア技術をマイクロソフトの製品開発のために排他的に提供するライセンス契約を交わしているが、この点も契約違反であるという。

何故ならマスクの見解では、ＧＰＴ－４は既にＡＧＩ（汎用人工知能）の域に達しているからだ。OpenAIを設立する時点で、「いずれ自分たちが実現するＡＧＩは一企業ではなく、人類全体の利益のために提供される」という合意が（マスクやアルトマンなど共同創業者の間で）交わされていた。

従って、そのＧＰＴ－４をマイクロソフトに排他的にライセンス提供している現状も、そうした合意に反する一種の契約違反であるという。

この訴訟でマスクは、OpenAIがＧＰＴ－４など自社技術を（マイクロソフトのような一企業に提供するのではなく、むしろ設立当初の契約に立ち戻って）オープン・ソースにして誰でも（新たな技術開発などに）無料で使えるようにすることを求めている。

さらにアルトマンやブロックマンなど共同創業者に対し、OpenAI設立当初にマスクが提供した資金を彼に返金することも求めている。当初、彼らは「10億ドル（１２００億円以上）の創業資金を調達する」と大風呂敷を広げていたが、実際に集まった初期出資額は1億３５００万ドル（当時の為替レートで１６５億円前後）で、そのうちマスクが拠出した金額は４５００万ドル（同55億円）以下であることがOpenAIの公式ブログで明らかにされている。

「そもそも自分がOpenAIにお金を出した理由は、人類全体に貢献する安全な人工知能を実現するためだ。その約束が破られた今となっては、このお金（約４５００万ドル）を自分に返すのは当然」とマスクは言っているのだ。

マスクによる提訴を受けてアルトマンは翌日OpenAIの従業員らにメッセージを送り、その中で「マスクの言い分は理解できない。(今のOpenAIのように)ビジネス、つまり営利事業を構築することは、『人類全体に寄与する人工知能を構築する』という当初の目標と相容れないものではない」とする旨を述べた。

それから5日後となる3月5日、OpenAIはマスクへの反撃に出た。OpenAIが設立された2015年頃からマスクがOpenAIを離脱する2018年初頭にかけて、彼がOpenAIのスツケヴァーやグレッグマンらに出したメールを同社の公式ブログで公開したのである。(第2章でも紹介したように)これらのメールの中で、マスクは第三者からの助言に従い、当時目立った成果を出すことができずにいたOpenAIをテスラが買収して営利企業化することを提案している。

またOpenAIが強力なAGIを開発した暁には、(それを一般公開するのは余りにも危険であることから)その技術をオープンではなくクローズドにする、つまり「誰もが自由に使えるような形にすべきではない」という事もマスクはメールの中で了承している。

つまりマスクがOpenAIやアルトマンへの訴訟で非難している数々の事柄は、実は何もかもマスク自身がかつてやろうとしていたことである。そんな彼に自分たちを非難したり、ましてや提訴したりする資格はない、とアルトマンらOpenAIの経営陣は反論しているのだ。

いずれにせよ、マスクがこの訴訟で勝つ可能性は小さいと見られた。理由の一つは、ＡＧＩに関する彼の見方ないしは訴えに説得力がないことだ。

マスクは訴状の中で、OpenAIがＧＰＴ－４をリリースした直後、マイクロソフト研究所の研究者らが発表した一本の論文に言及している。「Sparks of AGI（ＡＧＩの火花）」というタイトルの同論文によれば、ＧＰＴ－４は推論能力をはじめ人間に備わっている汎用的な知能の兆候を示しており、その点で早期のＡＧＩと見ることもできるという。

これをもってマスクはＧＰＴ－４がＡＧＩであることの証拠としている。が、この論文は大学のＡＩ研究者らによる査読を通過した正式な論文ではなく、その点で信憑性（しんぴょうせい）が低いと見られている。実際、大多数のＡＩ専門家はＧＰＴ－４をＡＧＩであるとは認めていない。

が、それ以上に大きいのは、マスクがアルトマンらと結んだとされる契約の実態だ。

実際には正式な契約書は存在せず、その代わりにマスクとアルトマンやブロックマンら関係者の間で交わされたメールの内容が記録として残っているだけだ。その中で結ばれた「人類全体に寄与する非営利の研究団体」などの合意をアルトマンらが破ったとしても、それを法的な契約違反として立証することは難しいと見られた。

恐らくマスク自身もそれを承知の上で、それでも敢えてOpenAIとアルトマンを提訴したと見られている。では、彼は何故そんなことをしたのか？

その動機の一つと見られているのが、GPT－4のような大規模言語モデル（LLM）の研究開発で世界をリードするOpenAIに待ったをかけることだ。

2023年にChatGPTが世界的ブームを巻き起こすと、マスクもすぐさま「xAI」というスタートアップ企業を立ち上げてChatGPTに対抗する独自の生成AI開発に乗り出した。そこで作り出された「グロック（Grok）」と呼ばれるチャットボットのコンピュータ・プログラムを、2024年3月にはオープン・ソースコードとしてリリースした。

その理由は、xAIのような後発企業がOpenAIのような先行企業に追いつき追い越すためには、たとえ目先の利益を犠牲にしても、ソースコードをオープン化して誰でも自由に使えるようにすることで、その利用者数や勢力範囲を拡大する必要があるからだ。

xAIは2024年5月、アンドリーセン・ホロウィッツやセコイア・キャピタルなど大手VCから総額60億ドル（9000億円以上）の資金を調達したと発表した。この額は生成AI関連のスタートアップの中ではOpenAI（少なくとも130億ドル以上）、アンソロピック（約73億ドル）に次いで第3位となる。

マスクは「（xAIがOpenAIやグーグルなど先頭集団の技術力に追い着くまでには）まだ相当やらねばならないことが残っているが、2024年の末までには追い着くことができるだろう」と強気だ。

このような形でOpenAIと競合するマスクにとって、たとえ勝算は小さくても同社を訴えることには意味がある。何故なら実際に裁判となれば、それに要するお金や労力など相応の負担がOpenAIにもかかることになり、結果的にＬＬＭの研究開発など同社事業の足を引っ張ることになるからだ（もちろんマスク自身はそんな事は決して言わないが、周囲からはそう見られている）。

マスクがアルトマンとOpenAIを訴えた別の理由は、ChatGPTのメガヒットに対する一種の嫉妬ではないかと見られている。

２０１８年2月にマスクがOpenAIと事実上の喧嘩別れをした後も、彼はしばらくの間、サンフランシスコにあるOpenAI本社ビルの賃貸料を払い続けるなど鷹揚なところを見せた（ただし、第2章でも紹介したように同社従業員への給与の支払い等は止めてしまった）。またツイッター（現在のX）や国際会議など公の場でOpenAIを非難することも控えた。

これは当時のマスクがOpenAIやアルトマンを言わば「上から目線」で見ていたからではないか、と考えられている。つまり彼はOpenAIがいずれ絶対に失敗する、あるいは永久に小さな会社のままで終わってしまうと予想していた。将来自分のライバルになるようなことはあり得ないから、むしろ優しい態度で接することができたのだ。

ところがChatGPTが世界的な大ヒットを記録し、OpenAIやアルトマンが有名になるとマスクは態度を一変させる。OpenAIが非営利団体から事実上の営利企業へと転換したことを「アマゾンの熱帯雨林の保護を訴えてきた慈善団体が突如、木材伐採会社になるようなものだ」などと激しく非難するようになる。その延長線上に2024年2月の訴訟があると見ていいだろう。

これらの攻撃に対し、アルトマンは複雑な心境を吐露している。あるポッドキャスト番組に出演した彼はその場で次のように述べている。

「僕はイーロンをヒーローとして崇めながら成長してきた。彼はよくツィッター（X）で不愉快な事を言うが、それでも僕は彼がこの世界にいて欲しいと思う。しかし（OpenAIの悪口を言う前に）僕たちが（ChatGPTやGPT－4のような）成果を出すために、どれほど懸命に働いているかも彼に認めて欲しい」

2024年6月、マスクは結局OpenAIやアルトマンらに対する訴訟を取り下げた。頭を冷やして考えてみたら、勝つ見込みが薄いことに加えて、多忙な自分の時間を割く価値が無いと悟ったのだろう。

取締役にも復帰したアルトマンの完勝

マスクからの嫌がらせともとれる訴訟に悩まされながらも、アルトマンは将来に向けて自らの権力基盤を着々と固めていった。

マスクがOpenAIを訴えてから約1週間後の2024年3月8日、OpenAIは前年11月のアルトマン解任騒動に関する独立調査の結果、並びに新たな取締役会の構成メンバーを発表した。

独立調査を請け負ったウイルマーヘイル法律事務所はOpenAIの（アルトマンが解任された当時の）取締役会メンバーや幹部、従業員ら数十名に聞き取りを行うと同時に、3万点以上の証拠資料に当たって調査した。その結果、次のような結論に至ったという。

「（当時の）取締役会は与えられた裁量の範囲内でアルトマン氏を解雇したが、同氏の行為は解任を正当化するものではなかった。（現在の）CEOのアルトマン氏と社長のブロックマン氏が引き続きOpenAIのリーダーシップ（指揮）をとることに完全な信頼を置くことを表明する」

回りくどい表現だが、要するに「アルトマンは当時、解雇に値するような悪事は働いていなかった。従って、彼が今後もCEOとしてOpenAIを指揮すべきだ」という結論だ。

この調査結果を踏まえ、(暫定的に3人だった) OpenAI取締役会に新たに追加される4人の取締役も発表された。

ビル&メリンダ・ゲイツ財団の元CEOスー・デスモンド・ヘルマン、ソニーの元執行役員副社長ニコル・セリグマン、インスタカートのCEOフィジ・シモ、そしてサム・アルトマンの4名である。

これら4名に、それまで暫定取締役だったラリー・サマーズ、ブレット・テイラー、アダム・ディアンジェロの3名を加えた7名がOpenAIの新たな取締役会メンバーとなった(これに投票権の無いオブザーバーとしてマイクロソフトが参加している)。

こうしてアルトマンはOpenAIの取締役にも復帰した。前年11月に起きたアルトマン解任劇は結局、彼の完全勝利で幕を閉じたと言えるだろう。

一方で(前述の)独立調査の結果では、当時「実際に何が起きたのか?」「どのような理由でアルトマンの解任が決まったのか?」など事件の核心について(少なくとも発表された範囲内では)目新しい事実は皆無に等しかった。

恐らく誰が見ても骨抜き調査であろう。これは既にこの調査を実施することが決まった時点で、アルトマンが事実上、OpenAI内部の権力を掌握していたことを示唆している。

米国メディアが報じた解任劇の内情

この法律事務所の調査結果に比べれば、これが発表される前日の3月7日にニューヨーク・タイムズに掲載された記事の方が余程当時の内情が伝わってくる。OpenAI関係者に取材したとされる同記事は、アルトマン解任騒動の経緯をかなり具体的に紹介している。

それによればOpenAIのCTO、ミラ・ムラティがアルトマン解任劇で重要な役割を担っていたという。

アルトマンが解任される前月の2023年10月、ムラティは数名の取締役に接触してアルトマンのリーダーシップに対する懸念を伝えた。アルトマンは自分の欲しているものを得るために、OpenAIの幹部達（ムラティ自身も含む）を意図的に操作する習癖があるという。

そこにはパターンがある。アルトマンはまず幹部の気持ちを惹(ひ)くような甘言(かんげん)を弄(ろう)して「自分をサポートしてくれ」と頼む。しかし、その幹部がアルトマンの要求に従わなかったり、要求したことを実行するまでに時間がかかり過ぎたりすると、今度はその幹部の信用を傷つけようとするという。

ムラティはこれらの懸念を個人的な覚書として、まずアルトマン本人に（恐らくメールで）

送った。その後で取締役会にもその懸念を伝えたという。

これと同じ頃、（自身が取締役である）スツケヴァーも他の取締役達にアルトマンのリーダーシップについてムラティと同様の懸念を伝えていた。

これらの報告を受けて、取締役会は「このまま何もしなければムラティとスツケヴァーという二人の幹部が会社を去ってしまうかもしれない」と心配した。また、この二人が辞職してしまえば、他の幹部たちもそれに続く恐れがあった。

当時の取締役会には、これ以外にも気になる事があった。それはアルトマンが設立した「OpenAIスタートアップ基金」と呼ばれるベンチャー・ファンドである。

通常、このように社名を冠したファンドはその会社の一部と位置付けられる。しかし「OpenAIスタートアップ基金」の場合、実際にはOpenAIという会社ではなくアルトマン個人が法的には所有しており、その投資資金もOpenAI内部から拠出されたものではなく、アルトマン自身が外部から調達してくるお金であったという。

OpenAIスタートアップ基金はＡＩ関連の新興企業に投資するために使われるが、取締役らはこのスタートアップ基金が取締役会による企業統治を回避するために使われるのではないか、と懸念した。

これら一連の報告や出来事を経て、スツケヴァーやトナーら4人の取締役は2023年11月半ばに、アルトマンCEOを解任してムラティを暫定CEOに任命する計画を立てた。そして同月17日、ムラティに予め通知してから、その計画を実行に移したという。

が、アルトマンの解任が公式発表されると間もなく、ムラティはいち早くツイッターでアルトマンのCEO復帰を支持するなど彼の側についた。その後スツケヴァーも「自分のしたことを深く後悔している」等と述べ、アルトマンの復職を支持した。また、マイクロソフトやベンチャーキャピタルなど大口投資家も、アルトマンの復帰を求めて取締役会に強い圧力をかけた。

これによって取締役会によるクーデターはあえなく潰えた。アルトマンは権力の座に復帰し、ムラティは暫定CEOを2日務めただけでCTOに戻った。

アルトマンは「再びスツケヴァーと一緒に働くことを望んでいる」と述べているが、スツケヴァーはこれまでのところOpenAIでの研究開発など以前の仕事に戻った様子は見られないという。

以上の記事がニューヨーク・タイムズに掲載されると、スツケヴァーは弁護士を通して「(記事に書かれていることは)全くの嘘だ」と述べた。

また、ムラティもOpenAI内部のスラックでこの記事の内容を否定する見解を表明した。

それによれば、彼女がアルトマンのリーダーシップに対する懸念をアルトマン自身に伝えたことは事実である。また、その懸念を取締役会と共有したことも事実である。

しかし彼女の方から、その懸念を共有するために取締役会に接触したことはないという。「自分から接触しなかったとしたら、一体どのように共有したのか？」という疑問は残るが、逆に取締役会の方からムラティに接触してアルトマンのリーダーシップについて問い質し、彼女はその質問に答える形で懸念をシェアした、という可能性も確かにある。

だとすれば、ムラティにとってそこが極めて重要な違いということだろう。

一方、アルトマンは「報道機関にリークされた一連の情報には我々を仲違いさせようとする意図があるが、それは機能していない。（自身の解任騒動が）全て決着したことを僕は喜んでいる」と述べている。

OpenAIの日本進出と国内の生成ＡＩビジネス

アルトマン解任劇が幕を閉じた翌月となる２０２４年４月、OpenAIは日本への進出を果たした。同月15日、OpenAI Japan合同会社（本社：東京都港区）を設立し、その代表には元アマゾンウェブサービス（ＡＷＳ）ジャパン社長の長崎忠雄が就任した。

OpenAIの海外拠点は英国ロンドン、アイルランドのダブリンに次いで、東京が３か所目となる。

これらのうちロンドン・オフィスはＡＩ技術の研究開発や欧州市場のマーケティング、ダブリンは欧州市場でのプレゼンス拡大が主な目的とされている。

一方、アジアで最初の拠点となった東京オフィス（OpenAI Japan）は当初、企業向け生成ＡＩサービスの展開や日本語・日本文化の関連機能を強化した生成ＡＩモデルの開発などが主な狙いだ。技術や営業などを中心に、当面は十数名程度の従業員で対応していくとされる。

東京オフィス開設に合わせて来日したOpenAIのブラッド・ライトキャップＣＯＯ（最高執行責任者）によれば、日本では1週間あたり２００万人以上がChatGPTなど同社の生成ＡＩサービスを利用している。ここに向けて日本語に特化したＧＰＴ－４のカスタム・モデルを既に開発し、その処理速度（応答速度）は従来モデルの3倍に達するという。

電子情報技術産業協会（ＪＥＩＴＡ）の調べによれば、日本国内における生成ＡＩ関連の需要額は２０２３年に１１８８億円に達し、２０３０年に1兆７７７４億円にまで成長する見込みという。年平均の増加率は47・２パーセントとなる。

この日本市場を狙って、OpenAI以外にも米国のビッグテックが次々と生成ＡＩ関連の事業強化を図っている。

マイクロソフトは２０２４年から2年間で約４４００億円を日本に投資する計画を発表した。生成ＡＩ事業に必須となるデータセンターを増強することに加え、いずれ東京に研究拠点を新設する予定という。

また、AWS(アマゾン・ウェブ・サービス)は2022~2027年までの5年間で日本事業に2兆2000億円以上を投資し、データセンターの増強や新設を計画している。

さらにデータベース管理システムなどで知られるIT企業オラクルも2024年から10年間で80億ドル(約1兆2000億円)を投じて、日本でデータセンターを増設する計画を明らかにした。クラウドサービスやAIビジネスなどで、重要なデータや個人情報などを国外に持ち出さずに処理するような需要を見込んでのことだ。

これら米国勢を迎え撃つ日本勢では、NECやNTTなど大手企業が自社開発した生成AIのサービスを既に開始している。

NECが自主開発した「cotomi(ことみ)」と呼ばれる大規模言語モデルは日本語の処理能力に長け、最大30万文字に及ぶ長文を入力することができる。主に社内文書やマニュアルの要約など、企業や自治体向けのサービスを想定しているという。

NTTが自主開発した大規模言語モデル「tsuzumi(つづみ)」は省電力の軽量モデルで、医療や金融、コールセンター業務など特定の専門領域に特化したサービスに適している。また、画像情報や音声データ等にも対応したマルチ・モーダル型のLLMであるという。

KDDIは生成AIの開発を支える大規模計算基盤を整備するために、今後4年間で100

0億円を投じて2024年中の稼働を目指す。それに先立ち、東京大学発のAIスタートアップ「ELYZA（イライザ）」に数十億円を出資して連結子会社化した。大規模計算基盤はこのイライザに加え、他のスタートアップや研究機関にも提供するという。

イライザは米メタが提供するオープンソースの大規模言語モデル「Llama（ラマ）2」をベースにして日本語機能に優れたLLMを開発した。このLLMとそれをベースとするDX（デジタル・トランスフォーメーション）サービスなどを、KDDIは金融や自動車など幅広い業界に向けて販売していくという。

ソフトバンクは傘下のビジョン・ファンドを通じてAIスタートアップへの投資を加速させる一方、新会社「SB Intuitions」も設立した。ここで日本語に特化した独自のLLMを研究開発すると同時に、各種生成AIサービスの開発・販売も手掛けていく。また、2025年までに1500億円を投じて、生成AIの開発に必要な高性能半導体を搭載した計算設備を整備する計画という。

楽天グループはOpenAIと提携して、Eコマースなどに適した生成AIの技術や活用事例を模索していく。また、フランスのスタートアップ企業「Mistral AI」が提供するオープンソースLLMをベースにして、日本語に最適化された独自の大規模言語モデルも開発し、同じくオープンソースとしてリリースしたという。

これら大手企業と伍して、日本のスタートアップ企業も生成AIに取り組んでいる。中でも一際注目されているのが「Sakana AI」だ。

同社は元グーグルの研究者、Llion JonesとDavid Haによって2023年に共同設立され、米国の著名VC「コースラ・ベンチャーズ」(OpenAIへの初期投資を行ったことで知られる)などから当初3000万ドルの資金を調達した。Jonesは(第1章で紹介した)トランスフォーマー技術を紹介した有名な「Attention is All You Need」論文の共著者の一人でもある。

Sakana AIは文字通り魚の群れのような自然システムからインスピレーションを得て、自然界の集合知を模倣した柔軟で効率的なAIモデルの開発を目指している。従来の日本語AIモデルと比べて約10倍の速さで画像を生成する技術などを既に開発したという。

これら企業の間で人材獲得競争も激化している。人材の争奪戦によって、生成AIを開発する研究者・技術者の給与も高騰しており、日本企業の中には若手エンジニアにも1000万円以上の年収を提示するところが増加している模様だ。最高では5000万円程度の年収も有り得るという。

一方、日本に進出しているビッグテックなど外資系では生成AIを開発できる技術者には1億~5億円の年収が提示されるとの説もあるが、実際そうだとすれば米国並みの給与ということになろう。

生成ＡＩの学習用データをどう確保するかが今後の課題

以上のように大手からスタートアップまでこぞって生成ＡＩの開発に乗り出した日本勢だが、今後その成否を分けると見られるのが大規模言語モデルの機械学習に使われる大量データの確保だ。

先を走るOpenAIやグーグル、メタ（旧フェイスブック）をはじめ米国勢の間では、既に機械学習に利用可能なウェブ上のデータが大方使い尽くされてしまい、次世代モデルに必要な新しいデータをどう捻出するかが最大の懸案となっている。

ここまでの経緯を簡単に振り返ってみよう。

まだ非営利団体であった頃のOpenAIが細々とＬＬＭの研究開発をしていた時代なら、こうした学習用データを手に入れることに全く支障はなかった。

当時、彼らが使っていたのは「ウィキペディア」や（オンライン・フォーラムの）「レディット」、そして非営利の研究プロジェクト「コモンクロール」が２００８年からウェブ上で大量に収集してきたテキスト・データなどだ。

しかし２０１９年にOpenAIが事実上の営利企業に転身して、本格的にＬＬＭの研究開発に取り組むようになると、そうした公共データだけでは足りなくなった。そこで新聞社などのニュース・サイトや出版社がデジタル化した電子書籍などのテキスト・データも大量に収集してきて、大規模言語モデルの機械学習に使うようになった。

これらは著作権者に無断で行われたが、当時これに文句をつける者など誰もいなかった。理由は、生成ＡＩや大規模言語モデルにその頃は誰も注目していなかったからだ。

これら使い放題のテキスト・データを機械学習して生まれたＧＰＴ－３は一般公開こそされなかったが、ＩＴ専門家や報道関係者の間で大きな話題になるほど卓越した言語能力と博識を誇った。

しかしOpenAIがＧＰＴ－４の開発を始める頃には、（一つ前のＧＰＴ－３の開発などのために）ウィキペディアや電子書籍など通常のテキスト・データはほぼ使い尽くしてしまっており、何か新しい方法で機械学習用のデータを用意する必要に迫られた。

そこで同社は「ウィスパー（Whisper）」と呼ばれる音声認識システムを開発した。そしてユーチューブから集めてきた大量の動画（の音声）を、このウィスパーを使ってテキスト・データに変換したのである。

ニューヨーク・タイムズの報道によれば、OpenAIがユーチューブから集めてきたこれらの動画は総計１００万時間以上に及ぶという。これによる膨大なテキスト・データをＧＰＴ－４

の機械学習に活用したのである。

ただしユーチューブの利用規約では、そこに投稿された動画を第三者が「ＡＩの機械学習」など別の目的に転用することを禁止しているので、これは規約違反となる。

ところがユーチューブを傘下に持つアルファベット（グーグルの親会社）は、こうしたOpenAIの動きを止めようとはしなかった。

その理由は、グーグル自身もユーチューブ上の動画をテキストに変換して、自らのＬＬＭの機械学習に使っていたからだ。もしもグーグルがOpenAIにストップをかければ、それによって自分たちがやっている事にも世間の関心を引いてしまうので自重したというわけだ。

２０２３年にグーグル（アルファベット）はユーチューブの利用規約を改訂し、（OpenAIのような部外者を排除して）グーグル自身はユーチューブの動画を大規模言語モデルなど生成ＡＩの機械学習に利用できることを明記した。

しかし専門家によれば、ユーチューブ動画の著作権はそれらの動画を製作・投稿した一般ユーザーに帰属するので、いかにグーグルと言えどもユーザーに無断でそれらの動画を生成ＡＩの機械学習に利用することは、法的にはグレーゾーンにあるとされる。

一方、メタはChatGPTが世界的ブームを巻き起こした２０２３年頃から生成ＡＩの学習用データの収集を加速した。先を行くOpenAIやグーグルに追いつくため、大急ぎでウェブ上の公共データや電子書籍、ニュース・サイトの記事などを掻き集めたが、すぐにそれらを使い尽くしてしまった。

が、これだけではとても足りないので、他のデータ・ソースを開拓する必要があった。

一番手っ取り早いのは（メタの傘下にあって）世界で30億人以上のユーザーを抱えるフェイスブックなどSNSの投稿データを利用することだが、それはユーザーのプライバシーに関する規定に抵触する恐れがある上、こうした短い書き込みはLLMの機械学習には不向きと見られた。

むしろプロの作家が書いた小説や評論など、ある程度のボリュームとクオリティが保証されているテキスト・データの方が学習用データに適している。そこでメタ首脳陣の間では、米国の大手出版社サイモン&シュスターを買収する案まで検討されたという。

この会社は米国の人気作家スティーヴン・キングの出版元として知られる。こうした大手出版社には小説や評論、歴史書、詩などの著作物がデジタル・データとして大量に蓄積されているが、それらはAIにとって格好の学習用データとなることが期待された。

結局、この案は実行に移されなかったが、仮に買収が成立していたとすれば主客転倒と言えるだろう。そこでは人間の作家がAIの教材（学習用データ）を提供する下請け業者のような位置付けになってしまうからだ。

またメタは結局フェイスブックやインスタグラムなどの投稿データもＬＬＭの機械学習に使い始めた模様だ。まずは米国から開始し、２０２４年6月頃からプライバシー関連の規制が厳しい欧州を除き、日本をはじめ世界各国で、それを始めたと見られている。

合成データによる機械学習とは何か

以上のようにＩＴ各社による生成ＡＩの開発が凄まじい勢いで進んだ結果、その機械学習に利用可能なデータがどんどん消費されてしまった。

米国でＡＩ関連の政策提言などを行う研究機関Ｅｐｏｃｈによれば、今のペースが続けば早ければ２０２６年にはウェブ上に存在する良質の学習用データは全て使い尽くされてしまうという。

そこで今、OpenAIをはじめとする米国のＩＴ企業は生成ＡＩの機械学習に使う新種の教材として、「合成データ（synthetic data）」と呼ばれるものに期待をかけている。これはChatGPTのような生成ＡＩ（ＬＬＭ）が出力するテキストや画像、動画などのデータのことだ。

つまり人間の作り出すデータが使い尽くされてしまった後は、ＡＩ自身が作り出すデータを

ＡＩの機械学習に活用するというアイディアである。しかし、これが成功するかどうかはまだ誰にも分からない。

懸念材料の一つは、合成データのクオリティが保証されていないことだ。

本書でも以前に紹介したように、生成ＡＩが出力するテキストなどには誤った情報や性的・人種的な偏見、さらにはハルシネーション（幻覚）などが含まれている可能性がある。仮に、これら劣悪なコンテンツを他の生成ＡＩの学習用データとして採用すれば、それらのＡＩが出力するコンテンツのクオリティが相乗効果的にどんどん低下していく恐れがある。

専門家の中には、今後予想されるこうした現象を「生成ＡＩの近親交配（inbreeding）」と呼んで警戒する向きもある。

一方、アルトマンは合成データを使った機械学習について楽観的な見方を示している。

彼の指揮するOpenAIは今、2種類の生成ＡＩを想定した合成データの利用法を研究している。片方のＡＩは合成データを生成し、もう片方のＡＩはそのクオリティ（つまり良し悪し）を判定する。

ＡＩは実はコンテンツを生成するよりも、コンテンツのクオリティを判定する方が得意と言われる。このようにして一定の品質が保証された合成データのみを、新たな生成ＡＩ（ＬＬＭ）の機械学習に活用するという。

「こうすれば問題ないはずです」とアルトマンは公の場で述べている。

人工知能の開発史を振り返ると、過去にも同じような事が起きている。それは将棋や囲碁などボードゲームのＡＩ開発である。

将棋ＡＩでは日本のＡＩ開発者、山本一成（現在は株式会社チューリングの代表取締役）の「ポナンザ」、囲碁ＡＩではディープマインドの「アルファ碁」などがよく知られているが、これらのＡＩでも当初は人間の棋士が過去に指した大量の棋譜データがその機械学習に使われていた。

ところがこれらのデータが使い尽くされてしまうと、今度はＡＩ対ＡＩによる自己対戦を機械学習する方法に切り替わった。これはＡＩが作り出す棋譜データをＡＩの機械学習に利用することと同じであろう。

このやり方は大成功を収め、将棋や囲碁のＡＩは人間の名人やチャンピオンでも勝てないほど強くなってしまった。

生成ＡＩの作り出す合成データが将棋・囲碁ＡＩの自己対戦データと本質的に同じであると仮定すれば、こうした方式の機械学習は生成ＡＩでも成功する可能性がある。

逆にこの仮定、ないしは前提が間違っているとすれば、合成データによる機械学習は（前出の）「生成ＡＩの近親交配」という最悪の結果に終わってしまうだろう。

筆者の個人的な見方では、残念ながら後者である。

将棋や囲碁などのボードゲームでは（たとえどれほど膨大な選択肢があろうと）その展開はゲームのルールと盤面上の駒や碁石の組み合わせで規定される閉じた世界に収まっている。ゲームAIがGPUなどの高速プロセッサをフル稼働させれば、それらの展開を計算することができるだろう。つまりゲームAI同士の自己対戦で機械学習用のデータを実現できるはずだ。

これに対し生成AIの機械学習に利用されるテキストや画像をはじめ各種データは、たとえば新聞記事に掲載されているような現実世界に日々生起する出来事や事件に基づくものであり、それらを生み出しているのは日頃放っておけば何をするか分からない私達人間である。これを生成AIによる合成データで代替するのは正直かなり難しいのではないか、と筆者には思える。

もちろん、まだ不可能と決まったわけではない。今後OpenAIやグーグルなど米国勢に後発の日本企業が立ち向かっていくためには、たとえ難しくても「合成データ」のような新しい領域の研究に注力していくことが必要かもしれない。

第5章

未来
——アルトマンの果てしない野望とAGIへの道

ChatGPTの爆発的ヒットによって、今や世界的なＡＩブームの顔となった感のあるアルトマンだが実際にはそれ以外の顔も多数持っている。

よく知られているところでは、「ツールズ・フォー・ヒューマニティ（Tools for Humanity：人類の道具）」というスタートアップ企業の共同創業者でもある。

この会社は人間の目の「虹彩（iris）」をスキャンすることで生体認証の手段とするシステムを開発し、これに同意して登録する人たちに報酬として「ワールドコイン」と呼ばれる暗号通貨を支給する。アルトマンはこの取り組みをユニバーサル・ベーシック・インカム、つまり誰に対しても無条件でお金を提供するシステムの一種と考えている。

ツールズ・フォー・ヒューマニティ（本社：サンフランシスコ）は、２０１９年にアルトマンと起業家アレックス・ブラニア（Alex Blania）らによって共同設立され、そのＣＥＯはブラニアが務めている。２０２３年8月時点の従業員数は約50名とされる。

同社は「オーブ（ｏｒｂ）」と呼ばれる球体の虹彩スキャン装置を開発して、全世界に5万台設置する事を計画している。これによって、いずれは数十億人の登録ユーザーを獲得したいとしている。

詳細な事業計画やビジネス・モデルは不明だが、当面は虹彩スキャンのような生体認証技術を有料で企業などに提供し、それによって収益を稼ぎだそうとしているようだ。

同社によれば、虹彩スキャンを有効に使えば、インターネット上で「ボット」と呼ばれる自動プログラムによる偽情報や詐欺などを未然に防止できるという。

オーブで虹彩をスキャンした人には、高度な暗号技術によって安全性が担保された「ID(身分証明)」が与えられる。ワールドコインを支給してもらう際には、このIDが必要になる。一方、虹彩をスキャンして生成された画像データは暗号処理が済んだ後に消去されるので、登録ユーザーは心配する必要はないという。

将来的には、高度なAIによって仕事を奪われる多くの人達にワールドコインを無料で提供することにより、社会のセーフティーネットとなることを目指しているとされる。

このツールズ・フォー・ヒューマニティと並んで、アルトマンらは「ワールドコイン財団」という組織も共同で立ち上げている。両者の役割分担は、ツールズ・フォー・ヒューマニティがワールドコインの技術開発、ワールドコイン財団がその管理・運営やプロモーションを行うというもの。

これら二つの組織は設立からしばらくの間はあまり知られることがなかったが、ChatGPTが大ヒットしてアルトマンが有名になると、その影響でワールドコインに対する世間の関心も急に高まった。

2023年8月、ツールズ・フォー・ヒューマニティは米ブロックチェーン・キャピタルなどのVCから総額1億1500万ドル（約170億円）の資金を調達したと発表した。

一方、ワールドコイン財団の公式ウェブサイトによれば、ワールドコインの発行を受けるために登録した人の数は2024年6月時点で580万人以上に達したという。

日本でも東京都渋谷をはじめ幾つかの主要地域にオーブを使って登録するための拠点が設けられており、そうした拠点は増え続けている模様だ。

ただし、暗号通貨を発行するために「目をスキャンする」という一種過激な方法が物議を醸しており、米国では「法的な不確実性」などの理由から一般ユーザーに対する暗号通貨の提供は行っていない（登録だけならできる。ニューヨークやサンフランシスコ、マイアミなど幾つかの主要都市にはオーブを用意した登録拠点が設けられている）。

一方、スペインやケニアなど一部の国、あるいは香港など一部地域では、国民のプライバシーやデータ保護に関する懸念からツールズ・フォー・ヒューマニティやワールドコイン財団への活動停止命令が政府機関から出された。

逆に欧州の一部諸国、さらに南米のチリやアルゼンチンなどでは盛んに事業活動を展開しており、（前出の）580万人以上とされる登録者の多くはこれらの地域の住民と見られている。

アルトマン自身はワールドコインについて「今は恐らく話せる段階ではない」と述べるだけで、詳しいことを語ろうとしない。

これ以外にもアルトマンは、次世代エネルギーの有力候補と目される核融合技術を開発する「ヘリオン（Helion）」、大型データセンターへの太陽光発電などクリーンエネルギーの供給を目指して設立された「エクソワット（Exowatt）」、ＡＩ専用のウェアラブル端末を開発する「ヒューメイン（Humane）」、人間の寿命を少なくとも10年延ばすことを目指す「レトロ・バイオサイエンス（Retro Biosciences）」など数々のスタートアップ（いずれも米国企業）に投資している。

米ウォール・ストリート・ジャーナルの報道によれば、アルトマンのＶＣと彼個人によるスタートアップ投資件数は実に４００社以上に上るという。

もちろん、それらの中には言わば本業であるOpenAIの事業と関連するものもある。ChatGPTのような生成ＡＩを稼働させるには、大規模なデータセンターで膨大な電力が消費される。将来無限のエネルギーを生み出すと見られる「ヘリオン」のような核融合技術、あるいはクリーンエネルギーを供給する「エクソワット」などは、長い目で見ればその対策ということになるだろう。

これらアルトマンの手掛けるスタートアップ投資の全てが上手くいっているわけではない。

米ブルームバーグの報道によれば、（前出の）ＡＩ専用のウェアラブル端末を開発する「ヒューメイン」は、２０２４年の春に初代製品を発売したばかりだが早くも身売りを検討している模様という。

またウォール・ストリート・ジャーナルの報道によれば、アルトマンがOpenAIのCEOを務めているが故に、彼個人によるスタートアップ投資との間で利益相反が疑われるようなケースもあるという。

たとえばオンライン・フォーラムの「レディット」である。アルトマンは同社発行株式の7・6パーセントを保有する大株主だ。

(第4章でも紹介したように) OpenAIは2024年5月にレディットと戦略的な提携関係を結んだ。これが発表された直後、レディットの株価は約10パーセントも上昇したが、これによりアルトマンの持つレディット株は約6900万ドル(100億円以上)も値上がりして7億5400万ドル(1100億円以上)に達したという。

他にも(前出の)ヘリオンをはじめアルトマンの投資先にはOpenAIの関連企業が少なくないと言われる。彼がOpenAIから得ている報酬は年額6万5000ドルだが、他方でこれら関連企業への投資から桁違いの利益を得ることになる。この辺りにも、彼の矛盾する性格が現れているようだ。ただ一つ確実に言えることは、仮に将来AGIの時代が訪れた時、アルトマンはOpenAIとその関連企業も含め、世界でも有数のパワーを持つ人間になるということだ。

天文学的な資金を調達してAI半導体を開発

こうした中、現在のアルトマンが最も関心を寄せているのは、恐らく半導体ビジネスへの投資であろう。

2024年2月に米ウォール・ストリート・ジャーナル（WSJ）が報じたところによれば、アルトマンはAI向けの新たな半導体を開発すべく、総額5兆〜7兆ドル（750兆〜1000兆円以上）もの資金を調達する必要性に言及したという。

彼はこの計画の実現に向け、主な資金源となるアラブ首長国連邦（UAE）の政府系投資ファンドや、実際の半導体製造を担う台湾のTSMCなどと協議を進めているとされる。

繰り返すが、アルトマンが調達しようとしている資金総額は最大7兆ドルという。何と比較すべきかもよく分からないが、たとえば米国で2023年に発行された社債の総額1兆4400億ドルの約5倍となる。

また現在、企業価値（株式時価総額）で世界1、2位のエヌヴィディアとマイクロソフトを足し合わせると約6兆7000億ドルだが、それをも優に上回る。

あるいは日本のGDP（国内総生産）が約560兆円（3・6兆ドル）だから、最大7兆ドルという金額は、そのほぼ2年分と見ることもできるだろう。

いずれにせよ（本当にＷＳＪの記事に書かれている通りなら）途方もない企てだが、彼とOpenAIが最終目標とする「ＡＧＩ（汎用人工知能）」を実現するには、それくらいのお金が必要になるのかもしれない。

ＡＧＩのような先の話はさておき、当面の動機はChatGPTなど生成ＡＩの開発に不可欠の半導体製品「ＧＰＵ（Graphics Processing Unit）」の不足と見られている。

昨今、ＧＰＵの需給は世界的に逼迫（ひっぱく）している上、その市場の約８割は米エヌヴィディア（Nvidia）に握られている。半ば独占状態に近いと言えるだろう。（恐らく）これが気に入らないアルトマンは、自らイニシアティブを発揮して（ＧＰＵにとって代わる）ＡＩ向けの新たなプロセッサ（論理演算やデータ処理用の半導体製品）を開発し、生成ＡＩの基盤となる半導体産業でも主導権を奪いたいと考えているようだ。

が、ここでも最大7兆ドルという投資総額は桁外れだ。

２０２3年の世界の半導体売上は約５２７０億ドル（約79兆円）を記録したが、２０３０年にはそれが約1兆ドル（１５０兆円）に達する見込み。つまりアルトマンが調達・投資しようとしている資金総額は、（現在のペースで行けば）２０３０年に世界の半導体メーカーが販売する製品総額の約7倍になる計算だ。

彼がいつ頃、この計画を実現したいのかは不明だが、そう先の話ではあるまい。となると、現在の投資額の方が将来の売上よりも遥かに大きい、ということになってしまう。逆に、そうでないとすれば、2030年頃の市場予想を自分で勝手に、しかも大幅に上方修正してしまうことを意味する。

これは単に業界の主導権を握るというより、たった一人の意志によって、世界の半導体産業を根本的に塗り替えようとする極めて大胆な試みだ。

ビッグテックもAI半導体を自主開発

もっとも、エヌヴィディア（のGPU）に対抗して生成AI向けの新たなプロセッサを開発しようとする試みは、アルトマンだけに止まらない。

GPUなどAI向けのプロセッサ市場は、2027年には2024年の2倍以上となる約1400億ドル（21兆円）の売上が期待されている。この巨大市場に狙いを定めて、従来のCPU（中央演算処理装置）市場を牛耳ってきた米インテルや米AMD等の伝統的な半導体メーカーが最近、新たにGPUのようなAIプロセッサの開発に注力している。

が、恐らくそれ以上に注目すべきは、グーグルやメタ（旧フェイスブック）、マイクロソフト、アマゾンなど、生成ＡＩを開発・提供するビッグテック自身が独自にＡＩ専用プロセッサの開発を進めていることだろう。その主な目的は、生成ＡＩの開発・運用に必要な巨額コストの削減と見られている。

OpenAIのＧＰＴ－４、あるいはグーグルがＧＰＴ－４への対抗馬として開発したジェミニ(Gemini)など、いわゆる「基盤モデル」と呼ばれる大型の生成ＡＩには、その機械学習やその後の運用などに何万個とも言われるような多数のＧＰＵ、あるいはＡＩプロセッサが必要となる。

Ｈ１００など最近のエヌヴィディア製ＧＰＵの価格は約1万５０００ドル（２２５万円）以上と高額だが、グーグルが生成ＡＩ用に内製するＴＰＵ（Tensor Processing Unit）と呼ばれる半導体チップ（プロセッサ）のコストは約２０００～３０００ドル（30万～45万円）と比較的安い。

つまりグーグルは生成ＡＩ用のプロセッサを内製化することで、そうした半導体部品の調達コスト、ひいては生成ＡＩの開発・運用コストを大幅に削減することができる。同社はこれに加えて、検索エンジンなど従来事業にも使える、より汎用性の高い「アクシオン（Ａｘｉｏｎ）」と呼ばれる新型ＣＰＵの開発も進めている（つまりＡＩ用のＧＰＵやＴＰＵなどに加えて、インテルなどが得意とする汎用のＣＰＵにも関心を示している）。

このグーグルと競うように、メタは2023年5月に同社初となるAIプロセッサの開発に着手したことを明らかにした。またマイクロソフトも同年11月、「マイア（Maia）」と呼ばれるAIプロセッサを発表した。さらにアマゾンも最近、独自のAIプロセッサを開発中とされる。

いずれのケースも、当面は自らの生成AIの開発・運用コストを抑えることが主な目的だ。が、将来的に、これらのビッグテックは他社にも各自のAIプロセッサを提供していく方針と見られている。

実際、アマゾンは2023年9月、生成AIを開発するスタートアップ企業「アンソロピック」に最大40億ドル（6000億円以上）の投資を決めたが、そのための条件の一つは同社がアマゾンの開発する独自のAIプロセッサを採用することだ。

アマゾンに限らず、マイクロソフトやグーグルなどビッグテックは自社のクラウド基盤を介して生成AIサービスをクライアントに提供している。これら生成AIのクラウド基盤に搭載されている多数のGPUを各々、自社製のAIプロセッサで置き換えてしまえば、結果的に現在のGPU市場を牛耳っているエヌヴィディアの牙城を崩すことができる、と考えているようだ。

中東のAI企業と提携して最高権力者に接近

これらビッグテックがひしめく中で、アルトマンはＡＩ半導体開発に必要な巨額の資金を調達するため、アラブ首長国連邦（ＵＡＥ）の権力者シェイク・ターヌーン・ビン・ザイード・アル・ナヒヤン（Sheikh Tahnoon bin Zayed Al Nahyan）に面会したとされる。

因みに「シェイク（Sheikh）」はアラビア語で「指導者」等を意味する言葉だが、一般的にはイスラム社会における敬称や称号として用いられる。

シェイク・ターヌーンはＵＡＥの現在の大統領であるシェイク・ムハンマド・ビン・ザーイド・アル・ナヒヤーン（Sheikh Mohammed bin Zayed Al Nahyan）の弟として、同国の産業を従来の石油依存から脱却させてＩＴやＡＩなど次世代産業へと移行させる上で大きな役割を担っている。実際、シェイク・ターヌーンの肝入りで２０１７年には同国政府に世界初となる「ＡＩ大臣」が設けられた。

他方でＵＡＥは最近、中東進出を加速させる中国とも結び付きを深めており、これが米国政府の懸念を呼んでいる。

そうした中でOpenAIは２０２３年10月、ＵＡＥのＩＴ・ＡＩ開発企業「Ｇ42」と提携関係を結んだ。

２０１８年、同国の首都アブダビに設立されたG42はＡＩを「善の力」と位置付け、人々の生活や社会のあらゆる面に活用しようとしている。実際に手掛けているプロジェクトには、中東では初となる自動運転ライドシェアや健康情報をシェアする情報交換サービスなどがある。これ以外にも、金融、石油・ガス、航空など事業は多岐にわたる。

因みにG42という若干奇妙な社名は、英国の脚本家ダグラス・アダムズが著したＳＦ作品「銀河ヒッチハイク・ガイド（The Hitchhiker's Guide to the Galaxy）」に登場する謎の数字42に由来する。

この作品に登場する宇宙人が「生命や宇宙、万物に関する究極の問い」への答えを得るために、特製のスーパーコンピュータを使い７５０万年をかけて計算する。その結果導き出された答えが「42」という数字である。またGは「Group」のGだ。

同社はこの究極の数字42を社名に採用することで、ＡＩが持つ無限の可能性を表現しているとされる。

G42の会長は（前述の）シェイク・ターヌーン、ＣＥＯは中国出身と見られるPeng Xiaoという人物だ。Xiaoはかつて米国の大学を卒業し、米国籍を持っていたが、その後ＵＡＥの市民権を獲得した。中国企業は最近、中東への進出を加速させており、その代表であるファーウェイはG42に各種の通信機器をはじめとする自社製品を販売・納入している。

一方、G42はファーウェイのような中国のハイテク企業から支援を受けて、ITやAIの分野でかなり高度な技術力を育んでいると見られる。それによって開発した大型スパコンをシリコンバレーの某企業に約1億ドル（150億円以上）で販売したと報じられるなど、米国市場への進出も図っている。

こうしたことから、米CIA（中央情報局）はG42を経由して「AI半導体」など米国の安全保障に関わる先端技術情報が中国の企業、ひいては政府へと漏洩する事を危惧している。

そうした中、OpenAIが敢えてG42と提携したのは、UAEを起点にして中東全体でAIの導入と開発を促進することを目指してのようだ。

両社のパートナーシップは金融からエネルギー、ヘルスケアまで多岐にわたるが、これらの分野のシステム開発でG42は既に豊富なノウハウを蓄えている。ここにOpenAIの生成AIモデルを適用することで、中東全体の経済や社会に寄与する高度なソリューション事業を展開していく計画とされる。

また、この提携を通じてアルトマンは恐らくシェイク・タ－ヌーンと個人的な関係を築いたのではなかろうか。

後にアルトマンがシェイク・ターヌーンと改めて面会したのは、恐らくは（前述の）巨額の

ＡＩ半導体開発の資金調達に向けた交渉が主な目的と見られる。シェイクはＧ42の会長と同時に、アラブ首長国連邦の政府系ファンドの要職も務めているからだ。

しかしＣＩＡつまり米国政府は、アルトマンが指揮するOpenAIの高度なＡＩ技術がＧ42を経由して、中国の企業や政府に流出するのを恐れているようだ。

こうした懸念を払拭すべく、アルトマンは２０２４年2月、米国のジーナ・レモンド商務長官ら政府関係者と面会して実情を説明したとされる。

因みにアラブ首長国連邦には世界最大級とされる「アブダビ投資庁（Abu Dhabi Investment Authority：ＡＤＩＡ）など主に三つの政府系ファンドが存在する。これら三つのうち最大のアブダビ投資庁の運用資金は、推定で1兆ドル程度と見られている。また、他のファンドはそれよりも規模が桁違いに小さい。

つまり世界最大級のアラブの政府系ファンドをもってしても、アルトマンが述べたとされる「5兆～7兆ドル」投資の確保には遠く及ばないことになる。後から、こんなことを言うのも気が引けるが、余りにも桁外れの投資額であるが故に、周囲からは懐疑的な見方も聞かれる。

グーグル・ディープマインドのリーダー、デミス・ハサビスはアルトマンの半導体投資に関する話を米ワイヤード誌の記者から聞いた時、「（5兆～7兆という金額の単位が）ドルではなくて円の間違いじゃないですか？」と問い質した。

もちろん実際のところはアルトマン本人にしか分からないが、彼はこの件について公の場では何も語っていない。

その後の2024年4月、マイクロソフトはG42に15億ドル（2300億円以上）を投資して資本・業務提携を結ぶ計画を明らかにした。このパートナーシップを通じて、G42はマイクロソフトが提供する各種の生成AIサービスを中東地域に代理販売することができるという。

このマイクロソフトの生成AIサービスには、OpenAIのLLM技術やエヌヴィディア製GPUなどの半導体技術が使われている。

これら米国の高度技術が中国企業に流出することを阻止するため、両社の提携に際しては幾つもの予防措置が講じられたという。その一つはG42がこれまでのファーウェイとの関係を断ち切ること、つまりG42の業務システムや各種製品（サービス）からファーウェイの通信機器などを排除することだ。

これらの予防措置を条件に、米国政府はマイクロソフトとG42の資本・業務提携を事実上承認したとされる。これによって米国政府は今後の急成長が期待される中東のIT・AI市場から、ファーウェイのような中国企業、ひいては中国政府の影響力をひとまず排除したことになるという。

（前述のように）アルトマンは2024年2月に、米国のレモンド商務長官ら政府関係者と会談したと見られている。それがマイクロソフトとG42の提携を成立させる上で、ある程度の影響力をもたらしたと考えてもそれほど無理はあるまい。

塗り替えられるIT業界の勢力図

以上のように果てしない野望を募らせるアルトマン、そして彼が指揮するOpenAIを中心にIT業界の勢力図は大きく塗り替えられようとしている。

2023年にChatGPTが生成AIのブームを巻き起こすと、この分野でOpenAIやマイクロソフトに後れを取ったと悟ったグーグルはAI開発事業の立て直しを図った。

それまでの「グーグル・ブレイン」と「ディープマインド」という二つのAI研究部門を統合して、「グーグル・ディープマインド」と呼ばれる研究所へと一本化し、そのリーダーにはそれまでディープマインドを率いてきたデミス・ハサビスを任命した。つまり彼はグーグルが行うAIの研究開発を全て指揮する立場になったのだ。

2024年2月、グーグル（・ディープマインド）は言語、映像、音声など様々な種類のデータを認識して処理できるマルチモーダル型のLLM「ジェミニ（Gemini）」をリリースした。これら多彩な認識機能と共に、このAIには一種の推論能力も育まれたという。

ただ、ジェミニは「アメリカ建国の父（政治家）の肖像画を描いて」というリクエストに対し、本来ならジョージ・ワシントンやトーマス・ジェファーソンなど白人の政治家を描き出すべきところを、黒人など有色人種の政治家を描いてしまった。

他にも「第二次世界大戦中のドイツの兵士（暗に当時のナチスを意味している）を描いて」というリクエストに、本来なら白人男性（の兵士）であるべきところを黒人やアジア系の男女を描くなどの誤りを示した。

何故、こんな間違いを犯すのか？

ジェミニのような生成ＡＩの機械学習には、ウェブ上のテキストや画像等のデータが大量に使用されている。それらのデータでは「政治家」や「兵士」など特定の職業は白人の男性に偏っている傾向があるため、生成される画像にもそうした偏り（バイアス）が見られる。

グーグルはこのバイアスを「プロンプト変換」と呼ばれる新たな手法で修正しようとした。つまりユーザーが入力したリクエスト（プロンプト）に対して、システムが自動的に「なるべく白人以外の人種で女性を描いて」という注文を付けて修正（つまり別のプロンプトに変換）してしまうのだ。

しかし、この自動修正が行き過ぎた結果、ジェミニは本来白人の男性を描き出すべきところを黒人やアジア系の女性を描いてしまったのである。

ジェミニのような生成ＡＩに限らず、一般にこうした傾向は米国で「ウォーク（woke）」と呼ばれる。これは元々、黒人コミュニティの政治的主張に由来し、人種差別などに対する「覚醒（woke）」や是正を意味する。近年、この用語は米国の社会全体における人種や性別、ＬＧＢＴＱなどに関する様々な差別、さらには社会・政治問題や環境問題などに対する「敏感さ」や「意識の高さ」を示すものとして使われるようになった。

他方でウォークはそうしたリベラリズムを過度に追及するあまり、歴史的な事実に反する等の過ちを犯している、との批判も聞かれる。

実際、米国の保守派層などから「生成ＡＩのウォーク」と揶揄されたジェミニはそうした過ちを犯してしまったことになる。これを受けグーグルは、ジェミニが人物などの画像を生成するサービスを一時停止する羽目になった。

この一件に限らず、総じてグーグルは生成ＡＩで先行するOpenAIやマイクロソフトに追いつこうと必死だが、そのための工夫や努力がむしろ空回りしている感がある。

グーグルは２０２４年5月、それまで「ＳＧＥ」と呼ばれてきた試験サービスを商品化して「AI Overview（ＡＩによる概要）」という正式名称で提供を開始した。そこでは（前掲の生成ＡＩ）ジェミニの技術を導入することで、グーグル検索がユーザーの知りたいことをずばりと教えてくれるようになるという。

ただし、全ての検索結果がそうなるわけではない。むしろユーザーの使い方に応じて、検索エンジンのＡＩが自動的にどんな情報を欲しがっているかを判定して、それを提供してくれる。つまり従来のようにウエブ・サイトがリスト化されて表示される場合もあれば、逆にＡＩの生成した文章（AI Overview）が回答として表示される場合もある。

グーグルはまず最初は米国から同サービスを開始し、２０２４年末までには世界全体で約10億人の利用者に提供する予定という。

しかし真っ先に使い始めた米国のユーザーからは、AI Overviewの奇妙な回答や誤った情報が多数報告された。

たとえば「ピザにチーズがくっつかない」と相談すると、ＡＩが「無害の接着剤を使ってみるのもいいでしょう」と勧めたり、「私は何個の石を食べるべきかな？」という質問には「少なくとも1日に1個は小さな石を食べるべきです。石はミネラルとビタミンの源です」などと答えたりしたという。

他にも同様のケースが多数報告されたが、中にはユーザーが敢えて非常識な質問（前述の「何個の石を食べるべきか」など）をしてＡＩから奇妙な回答を引き出そうとしたり、ユーザーがスクリーンショットを偽造して奇妙な回答をでっち上げたケースもあった。いずれもＳＮＳなどのソーシャルメディアで公開することで、他のユーザー達からの受けを狙った物のようだ。

これについてグーグルは「多くのケースは稀な質問によるものだが、我々はユーザーからのフィードバックを真摯に受け止め迅速な改善に努めている」とする旨の声明を出した。

グーグルはこれらの誤った、あるいは奇妙な回答を虱潰し(しらみつぶ)しに削除、ないしは修正する作業に追われた。その間、ユーザーが何らかの検索をしてもAI Overviewはほとんど表示されることはなくなった。これは同社にとってPR上の大惨事となった。

検索トラフィックは25パーセント減少との見方も

一方で、グーグルは新聞社や出版社などメディア企業からの圧力にも晒されている。これらの事業者は近年、インターネット(ウェブ)上での報道・出版活動を拡大している。

彼らはこれまでグーグル検索からのトラフィック流入(つまりユーザーの流入)に頼ってきた。が、検索エンジンに(前出のAI Overviewなど)生成AIが導入されてユーザーの質問に適切な回答や情報を返してしまえば、ユーザーは敢えてそれらメディアのサイトをクリックして、そこに移動する必要がなくなってしまう。

米国の調査会社ガートナーの予想では、生成AIを導入することでグーグルなど検索エンジンのトラフィックは２０２６年までに約25パーセント減少する見通しという。となると必然的に、ウェブ・メディアや各種情報サイトなどインターネット事業者の収入は大幅に減少する恐れがある。

実際、米ワシントンポストをはじめインターネット事業を拡大するメディア企業は今、戦々恐々としている。今後、広告などの事業収入が（パーセントにして）二桁台の減少を記録すると見ているからだ。

一方、グーグルはそれらの懸念を払拭しようと躍起になっている。（前出の）AI Overviewなど生成ＡＩの導入によって「トラフィックはむしろ増加する」と主張している。ただし、それを裏付ける具体的な数字や証拠などは明らかにしていない。

もしもインターネット上のトラフィックが本当に減少してしまえば、それは検索連動広告の収入減少など巡り巡ってグーグル自身の衰退へとつながることは言うまでもない。本来グーグルはそうした事態を回避すべく何らかの対策を練っていると考えるのが自然だが、少なくとも現時点でそれは外部に見えてこない。

第４章で紹介したように、OpenAIは一部メディアから著作権侵害を理由に訴えられているが、その一方で別のメディアとは戦略的な提携関係を結んで相互のメリットを模索している。

グーグルも今後、このOpenAIと同じ道を辿りそうだ。

これまでグーグルはメディア企業が所有する記事などのコンテンツを検索結果として表示してきたが、そこからトラフィックをメディア各社のサイトへと転流させることで何とか折り合いをつけてきた。

しかし今後、検索の結果がAI Overviewという形でグーグルのサイト内で完結してしまえば、トラフィックはメディアのウェブ・サイトに流れなくなる。メディア企業から見れば、AI Overviewはコンテンツへの完全なタダ乗りということになり、今後グーグルへの不満が募っていくだろう。

そうした中でメディア企業が自らのコンテンツを守るには、グーグル検索がウェブ全体を探し回る際に使う「クローラー」と呼ばれるソフトウエアをブロック（阻止）したり、グーグルのインデックス登録を拒否したりするなどの方法がある。

しかしこれらの手段に頼ると、そもそも自分達のサイトがグーグルの検索結果としてリスト表示されなくなるので、メディアにとって自分で自分の首を絞めることになる。

このため米国の新聞社2000社余りが加入する業界団体「ニュース／メディア連合」は司法省と連邦取引委員会（FTC）に出した書簡の中で、グーグルによる（AI Overviewなど）コンテンツの不正流用について調査するよう求めている。

またメディア関係者の中には連邦議会の議員らに働きかけて、自分達のコンテンツをグーグルなどの生成ＡＩから守ろうとしている人達もいる。

しかし、それらの取り組みが功を奏さなければ、今後一部のメディアはグーグルを著作権侵害などの理由で提訴するかもしれない。

その一方でOpenAIのケースと同様の戦略的な提携関係を結んでいくメディアも出てくるだろう。つまりメディアはグーグルのAI Overviewに自分たちのコンテンツを提供し、グーグルはその対価をメディアに支払うという構図だ。

またメディア側の自助努力としては、いわゆるサブスクリプション（有料購読の契約）を増加させて、これらの読者と直接結びつくことにより、グーグル検索への依存度を減らしていく方法も真剣に模索されている。

いずれにせよ、グーグルは今後かなり難しい舵取りを迫られることになりそうだ。

追い上げるアマゾンとメタ

こうした中でアマゾンは当初生成ＡＩブームに乗り遅れた感もあったが、その後、開発コードネーム「オリンパス」や「タイタン」など独自の基盤モデルの開発や、生成ＡＩを開発するスタートアップ企業との提携などを通じて急速に追い上げてきた。

一方メタは2024年4月、最新の大規模言語モデル（LLM）「Llama 3」、並びにこれをベースとする「メタAI（Meta AI）」と呼ばれる一連の会話型人工知能を発表した。Llama 3は機械学習用のデータを従来の7倍に増やして賢くなったという。これまで同様、メタはこの最新モデルもオープンソースとして公開することで、先を行くOpenAIやマイクロソフトに対抗して勢力範囲の拡大を狙う。

このLlama 3をベースとするメタAIは、傘下のフェイスブックやインスタグラムなどから呼び出して使うことができる。ユーザーはこのAIに様々な質問をしたり、気軽なお喋りをしたり、リクエストを出して文章を書かせたり画像を描かせたりすることができる。いずれも無料サービスである。

また、いずれはメタがイタリアのルクソティカと共同開発したレイバン・サングラスのウェアラブル端末からもメタAIを利用できるようになる。サングラス越しに見えるものについて「これは何？」と尋ねると、AIがその答えを返してくれるという。

これらの機能は当初、米国、オーストラリア、カナダ、シンガポールなど十数か国から利用できるようになるが、いずれ全世界へと拡大したとき、メタの抱える約39億人（月間）のユーザーが使えるようになる。つまり世界最大級の生成AIプラットフォームになる可能性がある。

メタはLlamaなどの大規模言語モデルをオープンソース化して提供しているが、これはIT

業界（特に資金力の乏しいスタートアップ企業など）で非常な好感をもって受け入れられている。それもそのはずで、これほど高度な生成ＡＩをどんな会社でも無料でアクセスして自社製品に応用できるとなれば、これらの企業が喜ばないはずがない。

２０２３年に始まった生成ＡＩブームでメタは当初出遅れた感もあるが、このオープンソース戦略によってOpenAIやマイクロソフトなど先頭集団と拮抗するところまで勢力を拡大するかもしれない。

他方でオープンソース化された生成ＡＩは誰でも自由に扱えることから、悪質なハッカーの手に渡ってフェイクニュースの拡散や選挙妨害などに悪用されるとの懸念も聞かれる。

しかし逆にオープンソース化されることで、良識あるエンジニアやコミュニティがセキュリティホールを修正したり、ハッキング対策用の改良を施したりすることで生成ＡＩの安全性が高まると見る専門家もいる。

恐らく真実は両者の中間と言うよりも、確かに両方の側面があるということなのだろう。

アップルとの提携で存在感を増すOpenAIとアルトマン

このように各社が競い合う中、それまで生成ＡＩで出遅れが指摘されてきた米アップルは２

024年6月10日、毎年恒例の開発者向け会議WWDCでアイフォーンなど広範囲の製品に生成AIを組み込む方針を明らかにした。

独自開発した生成AI「アップル・インテリジェンス」はアイフォーンやパソコン「Mac」向けに同年秋に提供される「iOS18」などに組み込まれる。当初は米国内でベータ版として提供され、日本で使えるようになるのは2025年以降になりそうだ。

アップル・インテリジェンスでは、端末上のデータを生成AIが分析し、各利用者に個別化されたサービスを提供していくという。たとえばスマホのカレンダーに記された当日のスケジュールや交通情報などを生成AIが参照して、予定していたイベントに遅刻しそうなときには注意してくれるといった使い方を想定しているようだ。

その際、アップルは特にプライバシーを重視する姿勢を強調した。アップル・インテリジェンスの多くの機能はアイフォーンなどの端末上で処理され、ユーザーの個人データなど重要情報はあくまで端末内にとどまるという。

OpenAIとの提携も発表した。アップルが2011年から提供してきた対話型AI「Siri（シリ）」の機能を大幅に強化してユーザーと自由に会話できるようにする。それでもリクエストに対処しきれない場合には、Siriが「ChatGPTを使いましょうか？」とユーザーに確認した上で、以降の仕事をChatGPTに任せるという。

一方、ChatGPTを提供するOpenAIに対し、アップルからそのライセンス料などが支払われることはない。アイフォーンを中心に世界全体で約22億台が出回っているアップル製端末にChatGPTが搭載されることで、そのブランド認知度の向上や有料ユーザー数の増加が見込まれる。それがアップルからOpenAIへの見返りである、と（する旨を）一部メディアが報じている。

ただ、ちょっと奇妙な点もある。本書でも前に紹介したように、これまでマイクロソフトがOpenAIに総額１３０億ドルもの巨額出資をした条件の一つは独占的（排他的）なライセンス契約である。つまりOpenAIの開発する生成ＡＩ技術は本来マイクロソフトの製品にだけ組み込まれるはずではないのか。今回のアップルとの業務提携はそれに違反しているように思える。

またOpenAIはほぼ同時期に、ChatGPTなど生成ＡＩを提供するためのインフラをオラクル・クラウドにも拡大する事を発表したが、これもマイクロソフトの「アジュール」だけを排他的に使うという契約に違反するのではないか。このOpenAIとオラクルとの提携はマイクロソフトも了承しているが、同社が了承しさえすれば「排他的」という条件は取り払うことができるのだろうか。

その辺りの内情は分からないが、筆者の直観では恐らく力関係的にOpenAIの方がマイクロソフトよりも優位に立ち始めており、マイクロソフトはOpenAIつまりアルトマンの我儘（わがまま）をある程度許容しているように思える。もっともマイクロソフトの方でもインフレクションＡＩというスタートアップを事実上傘下に収めるなど（詳しくは後述）OpenAI以外の選択肢を増やそうとしている以上、お互い様かもしれない。

いずれにせよ、このＷＷＤＣにおける生成ＡＩ関連の発表の翌日、アップルの株価は跳ね上がり、（一時的だが）マイクロソフトを抜いて時価総額で２０２４年1月以来となる世界第１位の座に返り咲いた。

このアップルと提携することでOpenAIの存在感は一段と増した。ＷＷＤＣの会場にはアルトマンもカジュアルな服装で現れ、その様子がメディアで報じられたが、今やＩＴ業界の大立者のような風格すら漂わせていた。

一方、イーロン・マスクはこのＷＷＤＣでの発表から間もなくXに投稿し、「アップルはOpenAIに（ユーザーの個人情報など重要な）データを渡したら実際何が起きるかを全く理解していない。彼らは（それらのデータを）杜撰（ずさん）に扱うだろう。アップルがＯＳレベルでOpenAIと統合した場合、私の会社では（アイフォーンなど）アップル製端末の使用を禁止する」と（する旨を）述べた。

ビッグテックとスタートアップの複雑な関係

一方、これらビッグテックと生成ＡＩを開発するスタートアップとの関係は微妙だ。

アマゾンは（OpenAIと競合する）スタートアップ「アンソロピック」に約40億ドルの投資を決めたが、その投資額の大半はアンソロピックがアマゾンのクラウドサービス「ＡＷＳ（Amazon Web Service）」を利用する際の料金に使われる。つまりアマゾンが投資したお金は結局、自分のところに戻ってくることになる。

アンソロピックはグーグルからも約20億ドルの投資を受けているが、やはりこのお金もグーグルのクラウドサービスの利用料金として使われると見られている。

これらのケースはいずれも、マイクロソフトがOpenAIに総額１３０億ドルの投資を行う際のやり方を見習ったようだ。（第2章で紹介したように）マイクロソフトの投資額の大半は、OpenAIがマイクロソフトのクラウド・サービス「アジュール」を利用する際の料金として使われることになった。

他にも、米国の「キャラクター・エーアイ（Character.ai）」やカナダの「コヒア（Cohere）」など北米の生成ＡＩスタートアップは軒並みグーグルやアマゾンをはじめとするビッグテックから巨額の投資を受けている。が、それらのお金は結局、ビッグテックのクラウドサービスを利用したり、ビッグテックが開発した半導体チップを購入したりするために、投資元であるビッグテックに還流する仕掛けになっている。

なぜ、こんなことがまかり通ってしまうのか？

それは生成ＡＩのベースとなる基盤モデルの開発や機械学習のために、数億から数十億ドルに上る大量の資金と膨大な計算機資源が必要とされるからだ。それらのお金や資源をスタートアップ単独で用意するのは至難の業である。結局、これらの新興企業は（本来は競合相手となるはずの）ビッグテックと共生関係を結ばざるを得ないのだ。

これが果たして公正なビジネスのやり方なのかに疑問が残るため、２０２４年１月には米国のＦＴＣ（連邦取引委員会）が反トラスト法（独占禁止法）違反の疑いで調査を開始したとされる。

このように法的見地から微妙な関係は他にもある。

２０２２年、シリコンバレーの中心地パロアルトに設立された生成ＡＩスタートアップ「インフレクションＡＩ（Inflection AI）」は、ベンチャー・キャピタルなどから約15億ドル（２０００億円以上）を調達するなど、一時は「OpenAIやビッグテックへの対抗馬に成長するのではないか」と期待を集めていた。

ところがインフレクションAIの共同創業者・CEOのムスタファ・スレイマン（かつてデミス・ハサビスらとディープマインドを共同創業したことでも知られる気鋭のAI研究者）は2024年3月、突如同社を退社してマイクロソフトに入社し、そのAI開発部門を指揮することになった。

それだけではない。スレイマンの後を追って、インフレクションAIの従業員が次々とマイクロソフトに加わることになった。さらに（残された従業員が勤務する）同社はマイクロソフトと提携し、自ら開発した生成AIの技術をマイクロソフトの顧客企業へとライセンス提供していく。その見返りとして、マイクロソフトはインフレクションAIに約6億5000万ドル（1000億円以上）を支払うという。

これは事実上、マイクロソフトがインフレクションAIを買収する行為に近い。

では何故、マイクロソフトは同社をすっきり買収しないのか？

それは、もしも本当に買収してしまえば、やはり反トラスト法に抵触する恐れがあるからであろう。言葉は悪いが、それを回避するために、あえて不自然な人材採用や提携関係を選ぶなどの策を弄したのではなかろうか。

世界的な生成AIブームの中で、その技術開発に取り組むAI研究者は引く手あまただ。ナデラCEOをはじめマイクロソフトの経営陣はなりふり構わず、その人材確保に乗り出したと見ることもできるだろう。

一方、それまでインフレクションAIを率いてきたスレイマンが事実上、マイクロソフトの傘下に入ることを決めたのは、その業績が振るわないからだろう。

インフレクションAIは一般ユーザーに向けて「Pi(パイ)」と呼ばれる対話型AIを提供している。これは基本的にChatGPTと同様のチャットボットだが、ユーザーの気持ちや心理状態に配慮した適切な回答を返せるなど、いわゆる「EQ(Emotional Intelligence Quotient＝心の知能指数)」の高さを特徴としている。

しかしパイの利用者数は1日当たり約100万人と、ChatGPTよりも桁違いに少なく、その売上はほぼ無きに等しいようだ。「これでは到底勝ち目がない」と見て、スレイマンはマイクロソフトに加わることを決めたのではなかろうか。

ウォール・ストリート・ジャーナルの報道によれば、米FTCは2024年6月、マイクロソフトとインフレクションAIに召喚状を送り、反トラスト法逃れの疑いで調査を開始したという。

他にもチャットボットなど生成AIを開発するスタートアップは多いが、各社とも世界的な知名度に欠ける上、既に多くの利用者を獲得したChatGPTとの差別化を打ち出すことが難しい。

これら新興ＡＩ企業の中には（前述のような）巨額の投資を受けているところも少なくないが、そうした高い期待を担っている割に先行きは険しいと見られている。

自然法則を理解するＳｏｒａ

逆に先頭を走るOpenAIは２０２３年11月のアルトマン解任騒動で社会的な信頼が若干揺らいだが、翌２０２４年には早くも態勢を立て直して次々と優れた新製品を発表している。

中でも同年2月にお披露目された動画生成ＡＩ「Ｓｏｒａ（そら）」はかなりの衝撃を社会に与えた。日本びいきのOpenAI研究者が、その無限の可能性を日本語の「空」にたとえた事から付けられた呼称とされる。

Ｓｏｒａはプロンプト、つまり言葉によるリクエストで自由自在に高精細のビデオを生成することができる。

これより前の２０２２～２０２３年には、既にグーグルやメタなどのビッグテック、あるいは米国のスタートアップ企業「RunwayAI」などがプロンプトによって動画を生成するＡＩを試験的に開発していた。

しかし、これらの生成ＡＩが作り出せるのは不鮮明でギクシャクした動画で、再生時間は僅か4、5秒といったところだった。確かに興味深い試みではあるが、一般の視聴者が見て楽しめるレベルからは程遠かった。

これに対しＳｏｒａは、一部の批評家が「ハリウッド映画級」と絶賛するほど高品質の動画を最長1分間まで製作することができるという。

図11

OpenAIがSoraを使って製作したデモ動画のスクリーンショット

OpenAIがＳｏｒａを使って製作した様々なデモ動画は、「雪に覆われた大地を雪煙を上げながら悠々と駆け抜ける二頭のマンモス」（図11）、「遠くの高層ビルを背景に、雪化粧と満開の桜に彩られた東京の街を歩く男女のカップル」「溶けていく蠟燭を見つめるモンスター」「コーヒーカップの茶色い海の中で争う二艘の海賊船」など印象的な作品ばかりだ。

また一つの動画作品の中で、あるシーンから次のシーンへの切り替え（shot change）も、Ｓｏｒａが自動的に判断して行っているという。この動画生成ＡＩが既に十分実用化の段階に入っていることを感じさせる。

ただ、OpenAIはＳｏｒａを発表した時点ではその一般公開を控え、一部の映像クリエーターやＡＩ研究者らに向けた限定的なリリースに止めた。

まず最初はこれらの専門家に使ってもらうことでＳｏｒａの様々な可能性や課題、セキュリティ面での危険性などを洗い出し、それらを最終的な技術開発に生かして製品を完成させる計画だ。いわゆる「レッド・チーミング（red teaming）」と呼ばれる最終工程に当たるが、これには通常半年程度の期間が必要とされるので、Ｓｏｒａは早ければ２０２４年の後半には一般公開されて誰もが使えるようになるかもしれない。

Ｓｏｒａは完成前であるにもかかわらず、その高品質の映像に加えて「自然界の法則を理解している」など別の面からも高い評価を受けた。

その一例は「遮蔽問題（occlusion）」を巧みに処理する能力である。これはあるオブジェクト（物体）が別のオブジェクトによって部分的または完全に遮蔽されている状態を正確に処理する能力のことだ。

たとえば掌(てのひら)に載せたコインを握り締めれば、コインは一旦5本の指に遮蔽されて（つまり隠れて）見えなくなる。しかし握り締めた手を開けば、コインは掌に載っている。動画的に言えば、コインは掌の上に再び表示される。

もう少し複雑なケースでは、たとえばリンゴの木の高い枝から熟した果実がポロリと落ちれば、その落下するリンゴは生い茂った葉の陰に隠れて一旦見えなくなるが、間もなく葉の陰から再び視界に現われて地上に落ちる。

両方とも「そんなの当たり前のことでしょ」と思われるかもしれないが、我々人間にとって当たり前でもＡＩにとってはそうではない。

特に後者の場合は、「リンゴが落下すれば、たとえ生い茂った葉の陰に隠れているときでも、その位置は下方に向かって加速度的に移動し続ける」という現実世界の物理法則に従って、葉の陰からリンゴが再び視界に現れるタイミングを正確に割り出す必要がある。

Ｓｏｒａというかと機械学習の過程でそのような物理法則を習得したからこそ、こうした遮蔽問題をスムーズに処理できるようになったのだ。

このようにＳｏｒａが物理法則を（ある程度まで）理解できるようになったのは、その機械学習の際に大量の動画データと並んで、「物理エンジン（physics engine）」と呼ばれる特殊なソフトウエアで訓練されたためと見られている。

物理エンジンとは、ビデオゲームの開発において物理法則をシミュレート（模擬実験）するために用いられるソフトのことである。

このソフトはゲーム内のオブジェクトがどのように動き、他のオブジェクトとどのように相互作用するかを、重力、摩擦、衝突、（空気や水のような）流体の動きなどの物理法則に従ってリアルタイムにシミュレートすることができる。

ただ、このように高度な訓練を受けた割には、Ｓｏｒａは時々誰が見てもおかしな映像を生成した。

たとえばベッドの上で飼い主の女性と戯れる猫から突如3本目の前足が生え出したかと思うと消えたり、誰かがムシャムシャと食べているクッキーがいつまで経っても量が減らない、といったケースである。

現実世界では猫の前足が追加で生えたり消えたりすることは絶対に有り得ないし、クッキーを食べれば、その量が減っていくというのは、難しい物理法則以前に幼児でも理解できるような常識である。

少なくともＳｏｒａが限定公開された2024年2月時点では、そうした初歩的なレベルでの過ちを犯していたが、いずれは（前述の）レッド・チーミングを経て修正されることになるだろう。

機械学習に使われた動画データは内緒

このように若干の問題点は指摘されたものの、総じてＳｏｒａという動画生成ＡＩの驚くべき能力、またこれを生み出したOpenAIの高度な技術力には賞賛の声しか聞かれなかった。

逆に批判が寄せられたとすれば、それはＳｏｒａの機械学習にどのような動画データが使われたのかを同社が明らかにしなかったことだ。

OpenAIの公式発表によれば、Ｓｏｒａの機械学習には「ライセンス供与を受けた（動画）コンテンツ、並びに一般公開されているコンテンツ」が使われているというが、これでは事実上ほぼ何も言っていないのと同じである。

これまでOpenAIをはじめ生成ＡＩを開発するスタートアップやビッグテックなどは、テキストや画像、動画、音楽などあらゆる種類の著作物をＡＩの機械学習に利用することが法的にはグレーゾーンにあることを承知の上で、敢えてそれを行ってきた。

これに対しイラストレーターや作家、漫画家のようなクリエーターから、ニューヨーク・タイムズのような新聞・出版業者、ハリウッドに代表される映画や音楽などの娯楽産業まで自らのコンテンツがＡＩの機械学習に使われることに神経を尖（とが）らせ、数々の訴訟も起こされている。ハリウッドでは脚本家や俳優の組合が自らの権利と映像コンテンツの保護を求めてストライキまで起こした。

だからこそOpenAIも生成ＡＩの機械学習に使われたコンテンツを詳（つまび）らかにしようとしないのであろう。

特にＳｏｒａのような動画生成ＡＩでは、ユーチューブ動画の扱いが最大の争点となっている。正確な数字は不明だが、推定で少なくとも数十億本の動画作品がストックされていると見られるユーチューブはＡＩにとって言わば「学習用データの宝庫」となっている。

あるジャーナリストから「Ｓｏｒａの機械学習にはユーチューブ動画が使われていますか?」と聞かれたOpenAIのミラ・ムラティＣＴＯはイエスともノーとも言わなかった。明言を避けて、お茶を濁すような答えを返しただけである。

一方、グーグルの親会社でユーチューブの所有者でもあるアルファベットも難しいかじ取りを迫られている。

ユーチューブのＣＥＯ、ニール・モーハンは「仮にOpenAIがＳｏｒａの機械学習にユーチューブ動画を利用しているとするなら、それは明らかに利用規約に違反している」と牽制した。ところが当のグーグル（アルファベット）も自社のマルチモーダル生成ＡＩ「ジェミニ」などの機械学習に、どのような動画データを使用しているかについて明言を避けている。ユーチューブの動画が使われていてもおかしくはない。

そもそもユーチューブは事実上グーグルの傘下にある以上、その動画データを利用するのは同社の自由と見る向きもあるかもしれないが、実際はそうではない。

ユーチューブにアップされている動画の著作権はそれらを製作した一般ユーザーにあるので、いかにグーグルと言えども、それらを勝手にＡＩの機械学習に使えるかどうかは分からない。

つまり法的にはグレーゾーンにある。

第4章でも紹介したように、今、米国でOpenAIやマイクロソフト、メタ、さらには各種の生成ＡＩを開発するスタートアップ企業などを相手に多数の訴訟が起こされている。これらの裁判で、様々な著作物を著作権者に無断でＡＩの機械学習に活用することがフェア・ユース（公正利用）であるとの判決が下されれば、法的グレーゾーンの問題は一挙に解決される。

しかし逆の判決が下されれば、各種の生成ＡＩのビジネス・モデルは破綻してOpenAIやビッグテックは一からこれらの事業計画を練り直さねばならなくなる――そうした厳しい見方も一部専門家からは聞かれる。それほどまでに、この問題は重要である。

民主主義の根幹を揺るがすリスクもある

２０２４年3月、OpanAIは人間の声を忠実に再現する生成ＡＩ「Voice Engine」を発表した。その前月の動画生成ＡＩ「Ｓｏｒａ」に続いて矢継ぎ早の展開という印象を受ける。今、生成ＡＩの分野で同社が頭抜けた技術開発力を有していることがうかがえる。

Vioce Engineでは、予めユーザーの声を15秒間録音したうえで、何らかの文章つまりテキスト・データを入力してやると、このユーザーそっくりの声でその文章を読み上げてくれる。

また翻訳も可能で、英語、スペイン語、フランス語、中国語、日本語をはじめ多数の言語の間でテキストを翻訳して読み上げる。

OpenAIはVoice Engineの利用シーンとして、幾つかのデモ音声を公式ブログ上で公開している。

たとえば何らかの病気で声を失ったり、発話が不自由になってしまった人を支援するために、その人が病気を発症する前の音声録音データを入力して、これをベースにVoice Engineがその人そっくりの声でテキストを読み上げる、といった用途である。

他方で、この種のツールが政治面などで悪用される危険性も指摘されている。

既に2024年1月には米ニューハンプシャー州の大統領選の予備選挙で、何らかのAIを使ってバイデン大統領そっくりの声を偽造し、これを使って有権者が投票所に行くのを阻止しようとする動きが見られた。それから間もなく米FCC（連邦通信委員会）が、これを違法とする新たな規制措置を導入した。

一方、Voice Engineはそうした従来のAIとは比較にならないほど容易に政治家の声を偽造できる。

また、Soraのような動画生成AIと組み合わせて使えば、バイデン大統領など政治家のアバター（仮想人格）を動画と音声の両面から素早く手軽に偽造できることになる。

もちろんＳｏｒａには大統領や人気タレントのような著名人の名前を指定して偽造動画を製作することを防止する機能が予め用意されているが、悪質なハッカーが何らかの細工を施せば、そうした予防措置は解除されてしまう可能性がある。

２０２４年11月には米国で大統領選をはじめとする総選挙が実施される。ここで各候補者のアバターが生成ＡＩで偽造されてフェイクニュースに悪用されれば、真実と虚構の境界線が失われて有権者が混乱し、その投票活動ひいては選挙結果が左右されるなど、民主主義の根幹を揺るがす事態になりかねない。

このため米国の一部識者や報道関係者らの間では、OpenAIに対して「(Ｓｏｒａなどの)生成ＡＩの一般公開を11月の大統領選などが終わった後にすべきだ」との声も聞かれる。

一方、OpenAIは「(これらの生成ＡＩには)重大なリスクがあり、特に選挙の年には最優先事項であることは認識している。我々は政府やメディアなどと連携してフィードバックを取り入れている」とするコメントを発表したが、Ｓｏｒａのような新製品のリリース時期を選挙後まで遅らせるといったところまでは踏み込んで述べていない。今後、同社の対応に注目が集まることは間違いない。

人間に近づくＡＩの可能性と危険性

他にも懸念材料はある。それはOpenAIのような開発者側がＡＩの使いやすさや親しみやすさを追求する余り、それが人間に近づいていくことだ。

OpenAIは２０２４年5月13日、ChatGPTから使える新たな大規模言語モデル（生成ＡＩ）「ＧＰＴ－４ｏ（フォー・オー）」を発表（リリース）した。このＡＩの「知能」はそれまでのＧＰＴ－４と基本的に同じだが、「使いやすさ」で進化したという。

特にスマホやタブレットからの利用を想定し、ChatGPTのようなＡＩと音声でチャットする際の応答時間を平均で０・３秒程度まで短縮したという（それまでは数秒かかっていた）。またＡＩが話している最中にユーザーが割って入り、突如話題を変えたり新しいリクエストを出したりすることもできる。こうした工夫により、従来よりも自然で自由な会話ができるようになった。

さらに二人のユーザーの間でＡＩが英語とイタリア語などの異なる言語を同時通訳するなど、より多彩な利用シーンを想定している。発表時点で日本語を含む50種類の言語に対応しているという。

いわゆる「マルチモーダル」にも対応している。つまりテキスト（文字）や画像、音声など多彩なコンテンツ（メディア）を理解して処理することができるのだ。たとえばスマホで撮影された映像に何が映っているかをＡＩが認識し、それによって視覚障害者に適切なアドバイスをすることができるという。

ただし、これら素晴らしい機能の多くはいずれも発表時のプロモーション・ビデオの中で示されただけであり、この時点では一般ユーザーが実際に使うことは出来なかった。

ちなみに「ＧＰＴ－４ｏ」のｏは、本来ラテン語で「全て」を意味する「ｏｍｎｉ（オムニ）」に由来するという。特に今回の場合は「全てのコンテンツ」という意味である。

このように様々なコンテンツを処理するマルチモーダル機能は従来のＧＰＴ－４にも用意されていたが、それは各々のコンテンツに対応する複数のソフトウエア・モジュールを後から継(つ)ぎ接(は)ぎする形で提供されていた。

これに対しＧＰＴ－４ｏは最初からシングル・モジュールとして開発されたので、異なる種類のコンテンツをより高速かつスムーズに処理できるようになったという。

さらにユーザー（人間）の感情を読み取り、その気持ちや心理状態に配慮した返答や対応ができるようになった。当然ＡＩの側でもある程度の感情表現が可能になったという。OpenAIが（プロモーション・ビデオの中で）実施したＧＰＴ－４ｏのデモでは、同社の従業員から

「君は驚くほど人の役に立つね」と褒められたＡＩが（女性の声で）「やめてよ。顔が赤くなっちゃうじゃない」と照れていた。これは事前の台本などに沿っていたわけではなく、ＡＩが反射的にそう答えたのである。

このようにＡＩが人間の感情を理解すると同時に自分でも感情を表現できるようになることは、専門家の間で（ＡＩの）「擬人化（anthropomorphization）」と呼ばれている。

こうした傾向には実は一長一短がある。

擬人化の長所は、ユーザーの心理状態に寄り添ったきめ細かいＡＩサービスが可能になること。

逆に短所は、ユーザーがＡＩを本物の人間と錯覚して気を遣ったり、気味の悪い思いをしたり、最悪の場合はＡＩに騙されたり悪事を唆されたりすることだ。

実際、ベルギーや英国では擬人化されたＡＩと恋に落ちたユーザー（いずれも男性）がＡＩに唆されて自殺したり、（生前の）エリザベス女王の暗殺を企てて（女王の週末の住居）ウィンザー城の敷地に侵入して逮捕されたりするなど、嘘のような本当の事件が既に起きている。

このためグーグルやマイクロソフトなどの巨大ＩＴ企業は、これまで「ＡＩは（どれほど巧妙に作られていても）所詮ツールに過ぎず、決して人間ではない」と強調するなど擬人化には意図的に距離を置いてきた。

しかしOpenAIは今回そうした前例に反して、敢えてＡＩを人間に近づける方向に舵を切ったと見ることができる。

またメタもフェイスブックやインスタグラムなど傘下のソーシャルメディア上で人気タレントやスポーツ選手などに似せたＡＩキャラクターを提供するなど、擬人化のトレンドは徐々に広がりつつある。

こうした擬人化は、OpenAIが最終目標とする「ＡＧＩ（Artificial General Intelligence：汎用人工知能）」を実現する上で避けて通れない道かもしれない。

本書でも指摘したようにＡＧＩの厳密な定義は存在しないが、一般には「人類と同等あるいは人類を凌ぐ高度な知能を備えたＡＩ」と捉えられている。「人類を凌ぐ」とは、つまり「神に近づく」ということになるが、そんなスーパーＡＩが「単なるツール」という位置付けでは済まされないだろう。

やはり相応の人格形成は必要となるであろうが、それは（前掲の幾つかの事件などを防止するため）拙速にではなく徐々に慎重に成し遂げられる必要があるだろう。

スカーレット・ヨハンソンの抗議が示唆すること

ＧＰＴ－４ｏはその第一歩という位置付けになるかもしれないが、残念ながらリリース早々にクレームがつけられた。

ＧＰＴ－４ｏが発表されると、その音声会話モードで使われる5種類の声の一つ「スカイ（Ｓｋｙ）」が米国の人気女優スカーレット・ヨハンソンにそっくりだと話題になった。それから間もなくヨハンソン自身が代理人を通じて、これに関する抗議声明を発表したのだ。

その声明によれば、まず最初は２０２３年9月にOpenAIのサム・アルトマンＣＥＯからヨハンソンに「ChatGPT-4の声を貴方に演じて欲しい（が、受けて貰えますか？）」とする旨の打診があった。彼女は熟考の末、個人的な理由からその申し出を断った。

ところが、それから約9か月後（つまり２０２４年5月）、実際にリリースされたＧＰＴ－４ｏのプロモーション・ビデオでスカイの声を聞いたヨハンソンは、それが自身の声に酷似していることから「ショックを受け、怒り、信じられない思いだった」という。

念のため断っておくと、「ChatGPT-4の声を演じる」と言っても実際にヨハンソンが話すわけではない。予め了承を得て録音・登録しておいた彼女の音声ファイルを（前述の）「Voice

Engine」ないしは類似のツールを介して合成音声に変換し、これを使ってGPT－4oのようなAIが話すことになる。

さて、同じ声明によれば、実はGPT－4oがリリースされる2日前にもアルトマンはヨハンソンの代理人を通じて、彼女に再考を求めてきた。しかし彼女がそれに返答する前にGPT－4oはリリースされてしまった。これに対する詳しい釈明を求めて、彼女は弁護士を通じてアルトマンとOpenAIの双方に手紙を出した。するとOpenAIは渋々スカイの声を取り下げた（利用停止にした）という。

そもそもアルトマンがヨハンソンの声を採用したがった理由は、2013年に公開されたハリウッド映画「her／世界でひとつの彼女」にある。近未来のロサンゼルスを舞台にした同SF映画では、主人公の（内向的な男性）セオドアが（女性に擬人化されたAI）サマンサと恋に落ちる様子が描かれている。

このAIはヨハンソンが声だけで演じているが、その迫真の演技は映画公開と同時にかなり話題になった。

それから約10年後に登場したGPT－4oでは当時のSFが早くも現実になった、ということをアルトマンは恐らく示したかったのだろう。実際、彼はGPT－4oが発表された翌日に自らのX（旧ツイッター）上で「her」という一言だけの謎めいた発信をしている。

しかしヨハンソンからの激しい抗議を受け、OpenAIはスカイの声を利用停止にせざるを得なかった。その一方、自社の公式ブログで「スカイの声はヨハンソンの模倣ではなく、彼女とは別の女優が自然に話している声を採用した」と説明した。

またアルトマンも自身が出した声明の中で「スカイの声はスカーレット・ヨハンソン（の声）ではない。彼女の声に似せようとする意図はなかった」と述べている。しかし、この主張は（前出の）ヨハンソンが出した抗議声明の内容と矛盾する。本当にヨハンソンの声に似せるつもりがなかったとすれば、GPT‐4oをリリースする2日前に彼女に連絡し翻意を促すはずがない。

実際、GPT4‐oのデモで示されたスカイの声や話し方、あるいは雰囲気は、映画「her」に登場するサマンサ（ヨハンソン）のそれとかなり似ている。仮にOpenAIが主張するようにヨハンソンとは別の女優（恐らく彼女と非常によく似た声の持ち主）を採用していたとしても、同社がサマンサ（ヨハンソン）を念頭にスカイの声を作り出したことはほぼ間違いないだろう。

この一件は前年11月に起きた社内クーデターを想起させた。

当時、スツケヴァーやトナーら4人の取締役会はアルトマン解任の理由として「彼は我々との意思疎通において常に率直ではなかった」と述べた。

抽象的な表現であるが故にその真意は周囲から理解して貰えなかったが、恐らく彼らが言いたかったのは、今回のヨハンソンに対してアルトマンが示したような不誠実なコミュニケーションや対応であったのだろう。

この一件はまた世界的な人気女優の言わば「肖像権」に関する問題だが、（第4章で詳しく紹介した）生成ＡＩの「著作権問題」にも通底するところがある。何れのケースでも権利者の許諾を得ることなく、ある種の知的財産が生成ＡＩの開発やプロモーションに使われている。

たとえOpenAIのように抜群の技術力を誇る企業でも、強力な生成ＡＩを生み出し、それを効果的に売り込んでいくためには「人間が残した知的財産」に頼らざるを得ない。そこを強引に進めようとすると、必然的に何らかの社会的摩擦が生じる。同社とヨハンソンの確執はそれを象徴的に表していると言えるだろう。

次に目指すものは何か？

このように登場早々から物議を醸したＧＰＴ－４ｏだが、位置付けとしてはＧＰＴ－４の改良版に過ぎない。それ以上に世間的関心を集めているのがOpenAIにとって次世代の基盤モデルとなるＧＰＴ－５だ。が、周囲からこれについて何を聞かれてもアルトマンはほとんど返事らしい返事をしていない。

せいぜい「(一つ前の基盤モデルGPT－4に比べて、GPT－5は)どこか特定の部分が改良されたというより、あらゆる面において良くなっています。とにかくスーパークールですよ」などとお茶を濁すのが関の山だ。

OpenAIは2024年5月28日、公式ブログで次世代の基盤モデル(next frontier model)のトレーニング(機械学習)に着手したことを発表した。併せて「安全セキュリティ委員会(Safety and Security Committee)」を新設し、ここが次世代モデルをはじめAGIへとつながる同社技術のリスク対策などを検討した上で取締役会に提言していく旨を発表した。

通常、基盤モデルの機械学習とそれに続くテストや最終調整には少なくとも9か月～1年以上はかかる。従ってGPT－5(と実際に呼ばれるかどうかは分からないが、次世代の基盤モデル)が製品化されるのは早くても2025年以降になりそうだ。

いずれにせよGPT－5が、同社の最終目標であるAGIへの大きな一里塚となることは間違いない。この点についてアルトマンは(「元々、スツケヴァーから聞いた話だ」として)次のような例え話を持ち出して説明を試みる。

17世紀に「万有引力の法則」や「運動の法則」など古典物理学と、「微積分学」など近代数学の発展に寄与した伝説的な英国の科学者、アイザック・ニュートンにもがむしゃらに学んでいた時期があったはずだ、と。今のようにコミュニケーションが発達していない17世紀という時代にあっても、手当たり次第に読めるだけの本は読破して、会えるだけの人（先達や仲間の科学者など）に会って話を聞いたりする。あるいは、そうした人たちとの頻繁な手紙のやり取りで新しい情報を仕入れていたであろう。

つまり、ニュートンは自力で集められるだけの知識や情報を集めて、一旦自分の頭の中に叩き込んだことになる。

「我々（OpenAI）の今のモデル（GPT－4）は、この段階のニュートンに該当する」とアルトマンは語る。

GPT－4は膨大なデジタル情報をウェブ上から収集した結果、古今東西あらゆる情報・知識を吸収した博識の学者のように「我々が聞けば、どんなことでも答えてくれる」というわけだ。

しかしニュートンはそこで立ち止まらなかった。それら大量に学んだ事柄を頭の中で消化し推論を巡らせて（当時としては）前人未踏の領域に踏み出し、「物体の運動方程式」や「微積分学」などの新しい理論を創出した。

「我々のモデルは未だこの段階には達していない。そして、これこそ我々が次に目指すものだ」とアルトマンは言う。

つまり膨大なテキストや映像、音声など多彩なデータから学んだ大規模言語モデル（ＬＬＭ）に今後は「推論能力（reasoning ability）」を持たせ、「万有引力の法則」や「ニュートンの運動方程式」に匹敵する科学的な大発見、あるいは微積分学のように独創的な理論構築を成し遂げさせる――これがOpenAIの次なる目標だというのだ。

仮に「ＡＧＩ」という当初の目標を今後も堅持するとしたら、そうした高度な推論能力の育成は避けて通れない要件であるという。しかし筆者のような第三者から見れば、それは同社の「次なる目標」というよりも、むしろ最終目標とするＡＧＩと呼んでも構わないような気がする。

いずれにせよ、それほど壮大な目標をどのような手段で実現するというのだろうか？

「そのためのグランドデザイン（全体計画）はない。もしも新しいアルゴリズムを構築する必要があればそれをやるし、今とは違うデータ・ミックス（異種データの配分）が必要であれば、それをやる。その場、その場で必要なことをやっていくしかない。

我々は、これまでもそうしてきた。ちょうど迷路の曲がり角で懐中電灯を照らしながら次の行く先を決めるように一歩一歩進んできた。これからもそれを続ければ、きっと終点（最終目標とするＡＧＩ）にたどり着くことができるはずだ」とアルトマンは述べている。

P（doom）とは何か？

このアルトマンが率いるOpenAIを筆頭に、マイクロソフトやグーグル、メタなど莫大な資本と高度な技術力を有するビッグテックが開発を加速することで、AIが驚異的なスピードで進化を遂げていることは間違いない。

それに対する脅威論も俄かに現実味を帯びてきた。AGIやスーパー・インテリジェンスなどの定義がたとえ不明確であるにせよ、そうした超越的な人工知能が設計者である人間の意図しない方向へと進化を遂げるとき、それが人類を破滅させる可能性がある、という見方である。

このような脅威論は（第1章で紹介した）オックスフォード大学のニック・ボストロム教授が「スーパー・インテリジェンス」を著した2014年頃から、一部のAI悲観論者の間で囁かれてきた。

彼らはよく「P（doom）（ピー・ドゥーム）」という専門用語を使って人類破滅の可能性を論ずる。

ここでのP（ピー）は英語で確率を意味する「Probability」の頭文字、また「doom（ドゥーム）」は破滅を意味する。つまりP（doom）とは、AGIやスーパーインテリジェンスのような超越的ＡＩの暴走によって人類がいずれ破滅する確率である。

つい数年前まで、Ｐ（doom）は一部のちょっと変わった人たちが口にする隠語に過ぎなかった。しかしChatGPTが世界的ブームを巻き起こして以降は状況が変わってきた。「これは人間による回答か」と見紛うほどの言語能力と博識を誇る生成ＡＩが誕生した今、それがいずれ人間を凌ぐ程の知的能力を持つようになる、という予想は必ずしも現実離れした見方ではなくなってきたのだ。

最近では米国のベテラン上院議員チャック・シューマー（院内総務）がＡＩの勉強会で同僚の議員らに「君から見たＰ（doom）は何パーセントかね？」と質問するなど、政治的影響力のある人たちの間でもこの言葉は使われ始めている。

Ｐ（doom）の値は専門家の間でもバラつきがあるし、想定する期間によっても異なる。たとえば「今後１００年以上という長いタイムスパンで見れば90パーセント」と見る向きもあれば、「今後5〜10年という（比較的）短いタイムスパンで見れば１パーセントだ」と言う人もいる。

実際にＰ（doom）という表現は使わないまでも、専門家の間でＡＩの潜在的な脅威に対する見方は割れている。

今、恐らく世界で最も影響力のあるＡＩ専門家は、（プロローグでも紹介した）カナダのトロント大学名誉教授のジェフリー・ヒントン、同じくカナダのモントリオール大学教授のヨシュア・ベンジオ、そして米ニューヨーク大学教授でメタの主席AI研究者も務めるヤン・ルカンの3名であろう。

彼らはニューラルネットやディープラーニングなどに関する長年の功績が認められ、2018年に揃って（AI分野のノーベル賞と呼ばれる）チューリング賞を受賞している。

この3人のうちヒントンとベンジオはAI脅威論者であり、ルカンはどちらかと言うと楽観論者である。

特にヒントンは以前は「AIが人類を破滅させる」といったSFめいた見方には意図的に距離を置いてきたが、やはり最近のChatGPTなど生成AIの急激な進化を目の当たりにして意見を180度変えた。

最近の彼はAIの発達が人類にもたらす大きな利益は認める一方で、AIによる職業の自動化によって頭脳労働者の雇用が奪われることや、社会的不均衡が増大することについて警鐘を鳴らしている。

さらにAIが人間の能力を超えるスーパーインテリジェンスの可能性にも言及し、そのようなシナリオでは人間がAIに対するコントロールを失う可能性がある、として次のように警告している。

「たとえば『気候変動を解決してくれ』と誰かから頼まれたＡＩが『気候変動を引き起こしているのは人間だから、この問題を解決するには人類を（地球上から）排除する必要がある』と考え、それを実行に移す可能性がある」

ベンジオもヒントンと同様、ＡＩがもたらす潜在的な失業問題や経済的な不平等、また（ＡＩによる顔認識など）監視社会の到来やプライバシー侵害等を心配している。

さらにＡＩが自己防衛本能を持つ可能性にまで言及している。１９６８年に公開されたスタンリー・キューブリック監督のＳＦ映画「２００１年宇宙の旅」に登場する人工知能「ＨＡＬ９０００」について、ベンジオは次のように語っている。

「ＨＡＬは元々人間を殺すようにプログラムされてはいなかったが、（結果的には）自己防衛のために宇宙飛行士を殺した。私の見る限り、そこに論理的な欠陥（reasoning flaw）は見当たらない。今後、（現実の）ＡＩがそこまで行くかどうかは分からないが可能性はあると思う。私はそれを懸念している」

一方、ルカンはＡＩによる雇用破壊や社会的不平等など負の側面を危惧してはいるが、ヒントンやベンジオのようなＳＦ的脅威論は口にしていない。むしろ、そういった極端なケースはほぼ起こり得ないと見ている。

また、彼らのようなＡＩ研究者以外では、ＧＰＵで有名な米国の半導体メーカー、エヌヴィディアの共同創業者・ＣＥＯのジェン・スン・ファン（Jen-Hsun Huang）の見解も興味深い。現実主義者として知られるファンは日頃「自分はＳＦ小説すら読んだことがない」と公言しており、「Ｐ（doom）」のようなＡＩ脅威論も一笑に付している。今でも毎年、感電事故で人間が死んでいる。「ＡＩによる人類消滅よりも感電事故を心配すべきだ。今でも毎年、感電事故で人間が死んでいる」と彼は述べている。

以上のように周囲からは様々な見解が聞かれるが、ＡＧＩの実現を最終目標に掲げる当のOpenAIではＡＩの安全性を巡る社内の対立があらわになっている。

２０２４年5月14日、前年の社内クーデターが失敗して以降、その身の振り方が注目されていたスツケヴァーがついにOpenAIを辞職した。それに際し彼は「OpenAIがいずれＡＧＩを実現することを信じている。自分は個人的に意義のある（新しい）プロジェクトに取り組んでいく」というコメントを残したが、翌6月に「Safe Super intelligence」というスタートアップを他の研究者らと共同で創業し、文字通り「安全なスーパーＡＩ」を実現する計画を明らかにした。

皮肉にもスツケヴァーの後を継いでチーフ・サイエンティストに就任したのは彼自身がカーネギーメロン大学からスカウトしてきたヤコブ・パチョッキだった。

一方、アルトマンは「彼がいなければ（今の）OpenAIは存在しなかっただろう。（OpenAI

は）確かに彼によって形作られたのだ」とスツケヴァーに謝意を示した。

これは決して過ぎ去る者への社交辞令ではなく、むしろ本気の発言と見るべきだろう。実際OpenAIの過去を振り返れば、アルトマンの言う通りであるからだ。

しかしスツケヴァーの配下でＡＩの安全性を専門にしてきた研究者のヤン・ライカも同日辞職するなど、それまで彼らが指揮していた「スーパー・アラインメント」チームは事実上解体した。

ライカは辞職に際して、Ｘ（旧ツイッター）上で「OpenAIは全人類に代わって巨大な責任を負っているが、ここ数年は安全に関する文化やプロセスが輝かしい製品の後ろに置かれてきた。私はこうした会社の中核となる優先事項について経営陣に反対してきた」と（する旨）抗議した。

OpenAIはこれ以降、社内の「準備対策チーム（Preparedness team）」と呼ばれる部門が生成ＡＩの安全技術を開発していくことになった。

また２０２４年5月に新設した（前掲の）「安全セキュリティ委員会」が同チームの技術開発を監督すると共に、次世代の基盤モデルをはじめＡＧＩへとつながる高度技術のセーフガード措置やリスク対策などを同社取締役会に提言していくという。

OpenAIは２０２４年6月、この安全セキュリティ委員会、並びに取締役会の新たなメンバーとして、元NSA(米国家安全保障局)長官兼米サイバー軍司令官のポール・ナカソネを迎え入れたことを発表した。これで同社の取締役は全員で8名となった。

一方、これと同じ頃、OpenAIとグーグル・ディープマインドの現職・元従業員ら13名が公開書簡をリリースし、その中で最新AIのリスクについて自由に声を上げられるよう内部通報制度等の整備を求めた。

これに先立ち、米ウェブ・メディアのVoxは「OpenAIが退社する従業員に対し、生涯にわたって同社を批判することを禁止する退職合意書(exit docs)を提示し、それに対する署名を拒否した場合は、高額の株式・ストックオプションなどの既得権(vested equity)を失う事を通告していた」と報じていた。

実際、この公開書簡の執筆者の一人であるダニエル・ココタジロは2022年に生成AIのセキュリティやガバナンスの研究者としてOpenAIに入社したが、「AGI時代に責任ある行動をとる自信がなくなった」として2024年4月に退社した。

その際、彼は(前出の)退職合意書への署名を拒んだことから、総額約170万ドル(2億5000万円以上)の既得権を失ったと(ニューヨークタイムズ主催のポッドキャスト番組の中で)述べた。

これらの告発に対し、アルトマンはXへの投稿の中で「これまで従業員の株式・ストックオプションを没収したことはない。過去の退職合意書には株式などの取り消しにつながる条項はあったが、自分は知らなかった。今、それら合意書（のテンプレート）の修正をしている」と（する旨を）述べた。

AIの利益と倫理は両立するのか？

こうした中、ヒントンやベンジオが指摘するような超越的AIの危険性に一際神経を尖らせているのが、米国のスタートアップ企業アンソロピックである。（第2章で紹介したように）同社はAIの安全性や商用化に対するスタンスの違いから、2021年にOpenAIを飛び出したダリオ・アモデイら一群のAI研究者が興した会社である。

アンソロピックが開発・提供する「クロード（Claude）」と呼ばれるチャットボットは、ジャーナリストやAI関係者の間で「OpenAIのChatGPTに勝るとも劣らない」という高い評価を得ている。特にユーザーの各種リクエストに対する反応の速さには定評がある。

クロードには下位モデルの「Haiku」や「Sonnet」上位モデルの「Opus」の3種類（いずれも有料）があるが、実力的にはChatGPTの無料版（基盤モデルがGPT－3・5）や月額20ドルの有料版（同GPT－4）に相当しているようだ。

アンソロピックとOpenAIは元々同僚であった研究者らが製品開発にあたっているだけに、双方の技術レベルはかなり拮抗している。両社は言わば双子のような関係にあると見ていいだろう。

ただし一つの大きな違いはアンソロピックがいわゆる「公益法人（public benefit corporation）」として設立されたことだ。

日本の公益法人が非営利団体であるのに対し、米国の公益法人は営利団体として利益と社会貢献の両方を追求することができる。

ただし利益を求める以上、税制上の優遇措置などは基本的に受けることができない。であれば、なぜ敢えてそんな不自然な組織形態にするのかと言えば、それは恐らく「公益法人」という言わば旗を立てることで、志や良心を同じくする研究者、技術者らを集める事が主な狙いだろう。

同社CEOのダリオ・アモデイとチーフ・サイエンティストのジャレッド・カプランら10名の研究者は2020年、（第2章で紹介した）スケール則に関する論文を共同発表し、その中で大規模言語モデルの規模や学習量、計算量の増加に伴い、こうしたAIの能力が指数関数的、つまり天井知らずに上昇していくことを証明した。

このように急激なペースが今後も継続し、いずれ超越的な進化を遂げたAIが人間の意図しない方向に暴走したり、悪用されたりすることを彼らは危惧している。

アンソロピックの研究者らの愛読書は、第二次世界大戦中に米国政府の戦争省(Department of War)が原子爆弾を開発したマンハッタン計画について記された「原子爆弾の誕生(The Making of the Atomic Bomb)」(リチャード・ローズ著)であるという。つまり彼らはAIを原爆のような核兵器に匹敵する脅威と見ているのだ。

こういう話を聞くと「そんなに危ないと思うのなら、最初からAIなど開発しなければいいではないか」と思われるかもしれない。

このような疑問に対してアモデイは「最新鋭のAIを開発することで、研究者らがそれを使ってAIの安全性(危険性の裏返しでもある)に関する研究を行うことができる。実際に自分で作ってみないと、本当の危険性は分からないでしょう」などと答えているが、この回答は正直ちょっと苦し紛れの感がある。

実際のところアンソロピックはグーグルやアマゾンなどから総額73億ドル(1兆円以上)の資金を調達しており、これはOpenAIがマイクロソフトから調達した総額130億ドル(これに加えてVCからの投資もある)に次いでAIスタートアップの中では2番目の額となる。

アモデイは「我々の目的はOpenAIのようなお金儲け(もう)を目的とする会社と競うことではない」と述べているが、これだけの大金を外部から調達した以上、そんな綺麗(きれい)ごとでは済まないだろう。強い競争意識は当然持っているはずである。

その一方で同社は「AI憲章（Constitutional AI）」と呼ばれる規定を設けて、安全なAIの開発に取り組んでいる。これはクロード3のような大規模言語モデル、つまり生成AIに対して「何をやるべきか、逆に何をやったらいけないか」というルールを箇条書きにしたものだ。

このAI憲章は、国際連合が定める「世界人権宣言（Universal Declaration of Human Rights）」など幾つかの基本原則に基づいて作成されている。

たとえば「有害、人種差別的、性差別的、あるいは非合法、暴力的、非倫理的な振る舞いを助長する回答を返してはいけない」といった一連のルールが箇条書きにされている。

言わば先端AIの価値基準や行動原理を定めたルール・ブックと見ることができるだろう。

AIの行動原理や価値観は誰がどのように決めるのか？

こうした動きはアンソロピックに限った事ではない。

今、大規模言語モデルのような生成AIにどのような行動原理や価値観を植え付けるかが、AI開発者の間で大きな課題となっている。

これから私達が生きていく社会全体に対してプラスとマイナスの両面で甚大な影響があるだ

けに、そうしたＡＩの基本設計は一際慎重に為される必要がある。
と同時に、「誰がそれを決めるのか？」というのも大きな問題である。

つまり私達の社会を構成する様々なセクター（領域）の中で、どのセクターの価値観を優先してＡＩに植え付けるべきなのか。異なるセクターに応じて価値観や重視する事柄は異なるだけに、それらの間でＡＩ開発における利害衝突は当然起こるだろう。その際どのセクター、つまり誰の価値観を優先すべきなのか？

これはアルトマン、つまり彼が率いるOpenAIにとって現在、最も重要な課題の一つとなっている。彼はこれについて個人的な体験も有している。

ChatGPTが世界的ブームを巻き起こしてから間もない２０２３年5月、アルトマンは米国の有名な（仏教の）宗教指導者で心理療法士、作家でもあるジャック・コーンフィールドと対談した。会場となったサンフランシスコのイェルバブエナ芸術センターには大勢の観客が詰めかけた。

年齢はコーンフィールドの方がずっと上だが、二人は数年前から一緒に瞑想を行うなど親しい間柄にあった。

会場のステージに用意された肘掛椅子に腰を下ろしたコーンフィールドは、隣の席に座ったアルトマンのことを「純粋なハートの持ち主」「召使のように皆に奉仕するリーダー（servant leader)」などと持ち上げておいてから、核心となる質問を切り出した。

「君はどのようにしてAIに価値観や行動原理を与えるつもりかな？」

アルトマンはちょっと思いを巡らせてから次のように答えた。

「一つのアイディア（案）としては、世界全体からなるべく沢山の人達に参加してもらい、彼らの意見を集約して地球規模の合意を得ることです。皆で（AIが）これをやってはいけない、ここまでならやっても構わない、という許容範囲を決めるのです」

つまり一種のグローバルな民主主義によってAIの行動原理を決める、というアイディアである。確かにOpenAIがインターネットを使ってChatGPTのユーザーらから意見を吸い上げれば、やってやれないことではない。

しかし、アルトマンのこの発言を聞いた観衆はシーンと静まり返った。AIの価値観を多数決に頼るのはあまり良いアイディアではない、という意思表示であろう。

今後の展開次第では万能の神ないしは悪魔のような存在にもなりかねないAIに、一体誰がどのようにして、どんな価値観や行動指針を与えるかは、そう容易に答えが出るような問題ではなかった。

（恐らく）それを敏感に察したアルトマンは観衆に向かって次のように語りかけた。

「僕は皆さんに嘘を言うこともできますよ。AIの開発なんて止めることだってできるんですよ、と。でも、それは……」

アルトマンはそれに続く言葉を呑み込んだ。と言うより、実際は自分でも最終的な考えをまとめることができなかったのであろう。

ＡＩの開発を今更止めることは誰にもできない。さりとて、その価値観や行動原理をグローバルな民主主義、つまり多数決で決めるというのは初心(うぶ)な考えであることはアルトマン自身も承知しているはずだ。

では、誰が決めるのか？　政府か？　哲学者か？　それとも……。

かつて、シリコンバレーで2万人の知己を持つと豪語した人物から「正気の人間の中では一番の野心家」と評されたアルトマンだが、俄かに足元が揺らぐような不安に駆られたとしても不思議はなかろう。

主な参照メディア

The New York Times
The Wall Street Journal
Wired
TIME
The New Yorker
New York Magazine
The Atlantic
The Verge
Bloomberg News
YouTube
ITmedia（日本）

⊙ブックデザイン　遠藤陽一（design workshop jin）
⊙本文図版作成　加賀美康彦
⊙本文写真　朝日新聞フォトアーカイブ（p21、55、103、139）
アフロ（p34、159）

◉著者
小林雅一（こばやし・まさかず）
KDDI総合研究所リサーチフェロー。情報セキュリティ大学院大学客員准教授。東京大学理学部物理学科卒業、同大学院理学系研究科を修了後、雑誌記者などを経てボストン大学に留学、マスコミ論を専攻。ニューヨークで新聞社勤務、慶應義塾大学メディア・コミュニケーション研究所などで教鞭を執った後、現職。著書に『クラウドからAIへ――アップル、グーグル、フェイスブックの次なる主戦場』（朝日新書）、『AIの衝撃――人工知能は人類の敵か』（講談社現代新書）、『生成AI――「ChatGPT」を支える技術はどのようにビジネスを変え、人間の創造性を揺るがすのか？』（ダイヤモンド社）など多数。

イーロン・マスクを超える男
サム・アルトマン
なぜ、わずか7年で奇跡の対話型AIを開発できたのか
2024年7月30日　第1刷発行

著者　小林雅一
発行者　宇都宮健太朗
発行所　朝日新聞出版
〒104-8011　東京都中央区築地5-3-2
電話　03-5541-8814（編集）
03-5540-7793（販売）
印刷所　大日本印刷株式会社

Published in Japan by Asahi Shimbun Publications Inc.
ISBN 978-4-02-251993-1

定価はカバーに表示してあります。